O TESTE DO DESENHO COMO INSTRUMENTO DE DIAGNÓSTICO DA PERSONALIDADE

Dados Internacionais de Catalogação na Publicação (CIP)
(Câmara Brasileira do Livro, SP, Brasil)

Campos, Dinah Martins de Souza
O teste do desenho como instrumento de diagnóstico da personalidade / Dinah Martins de Souza Campos. – 47. ed. – Petrópolis, RJ : Vozes, 2014.

Bibliografia.

11ª reimpressão, 2024.

ISBN 978-85-326-0178-0

1. Desenho – Psicologia 2. Personalidade – Testes I. Título.

07-8544 CDD-193

Índices para catálogo sistemático:

1. Diagnóstico da personalidade : Teste do desenho :

Psicologia 155.28

Dinah Martins de Souza Campos

O Teste do Desenho como Instrumento de Diagnóstico da Personalidade

Validade, técnica de aplicação e normas de interpretação

Petrópolis

Rua Frei Luís, 100
25689-900 Petrópolis, RJ
www.vozes.com.br
Brasil

Capa: Soma

De acordo com o Conselho Federal de Psicologia (CFP), através da resolução 002/2003, o presente material destina-se a psicólogos e toda interpretação e/ou emissão de laudos técnicos somente podem ser realizados por profissionais qualificados.

ISBN 978-85-326-0178-0

Este livro foi composto e impresso pela Editora Vozes Ltda.

Minhas homenagens ao Dr. Hans Ludwig Lippmann pelo estímulo e apoio para a organização e publicação deste despretensioso trabalho.

Sumário

INTRODUÇÃO

FACE *à divulgação e ao grande emprego que os testes baseados no desenho começam a experimentar, no campo da Psicologia Aplicada, parece proveitoso que também se enfatize sua validade e se preparem meios para a iniciação de novos especialistas, nesse setor, em nosso país.*

Assim, o presente trabalho foi organizado com o fim precípuo de se constituir, apenas, como mais uma contribuição, em língua portuguesa, no sentido de procurar satisfazer às necessidades assinaladas, não se alimentando, em absoluto, a pretensão de proceder a um estudo exaustivo do assunto, tendo em vista as limitações pessoais, no momento.

A Primeira Parte deste estudo constará de uma rápida notícia histórica do desenho, como instrumento de diagnóstico psicológico, tema amplamente tratado na tese do doutorado de Odette Lourenção Van Kolck, da Faculdade de Filosofia, Ciências e Letras da Universidade de São Paulo (6), e de comentários sobre a validade e, mesmo, vantagens dos testes do desenho, quando analisados, comparativamente, com outros testes, como o de Rorschach e o TAT. O objetivo da Segunda Parte será apresentar a técnica de aplicação do teste do desenho organizado por John Buck, denominado HTP (House, Tree, Person), e as normas para a respectiva interpretação, numa tentativa de reunir e sistematizar muito do material que vem sendo padronizado nesse sentido.

Evidentemente, muitas falhas serão encontradas neste primeiro ensaio de organização do material coletado, que, sem dúvida, não se endereça a especialistas no assunto, mas parece constituir a primeira contribuição no gênero, em nossa língua, para colaborar com aqueles que se iniciam na importante técnica de estudar a personalidade, através das projeções oferecidas pelo respectivo desenho.

PRIMEIRA PARTE

A IMPORTÂNCIA DO TESTE DO DESENHO COMO INSTRUMENTO DE DIAGNÓSTICO PSICOLÓGICO

I. Notícia histórica

O primeiro trabalho, digno de menção, sobre o desenho como fenômeno expressivo, foi realizado por Ricci, em Bolonha, em 1887. Estudou os vários estágios da evolução do desenho da figura humana, realizado por crianças, mas concentrou-se nos aspectos estéticos e na evolução da cor e suas relações com a arte primitiva.

Posteriormente, aparecem os estudos de Sully, em 1898, e de Roubier, em 1901.

Na Califórnia, Barnés, em 1893, procurou analisar a psicologia da criança através do desenho, estudando mais de 6.000 crianças de 6 a 15 anos.

Sob a inspiração de Karl Lamprecht, o Seminário de História Universal e da Civilização, da Universidade de Leipzig, realizou uma extensiva investigação sobre desenhos de crianças, provindos de diferentes regiões da África, Ásia, América e, provavelmente, da Europa.

Entre os primeiros interessados na expressão da atividade psicológica infantil, através do desenho, podem-se mencionar ainda os nomes de Kerschensteiner, grande pedagogo de Munich (1905), M. Verworn de Gotinga (1906), W. Stern (1906), Nagy de Budapest (1906) e Paola Bencini de Florença (1908). As investigações de Rouma (1913) foram consideradas por Florence Goodenough como sendo, provavelmente, as mais amplas e valiosas publicadas sobre o tema.

E, assim, foram-se multiplicando os estudos do desenho como forma de projeção psicológica, surgindo técnicas perfeitamente válidas para serem empregadas como instumentos de diagnóstico psicológico.

Em 1949, considerando, fundamentalmente, os países da Europa Ocidental e os Estados Unidos, Pierre Naulle enumerou 357 autores que estudaram o desenho infantil. Segundo essa bibliografia, 300 dos investigadores arrolados exploravam questões psicológicas e somente 20% tratavam de aspectos estéticos, sociológicos – de comparação com os povos primitivos – ou se referiam à pedagogia do desenho na infância.

Os autores que se dedicam à psicologia do desenho infantil visam objetivos diversos e estudam diversos aspectos, como por exemplo: as fases do desenvolvimento, métodos do exame e medida da inteligência, motricidade, traço e uso da mão, noção do espaço, função da percepção visual, papel da forma, verbalização perigráfica, objeto da reprodução, expressão, caráter, tipos, jogo, psicopatologia, etc.

Com relação ao desenho infantil, atualmente, foi abandonado o conceito de que o mesmo representa o produto de uma estética particular, sendo considerado como a expressão do modo como a criança percebe e compreende o mundo. Esta nova posição valoriza todas as relações que se determinam entre a totalidade psíquica da criança emocional e intelectual – no processo de maturação, e seu meio social e cultural, envolvendo também a educação sistemática a que se submeteu.

II. O teste do desenho como instrumento de determinação do nível mental

Pode-se assinalar a organização e padronização de vários testes para a avaliação do desenvolvimento mental infantil, tais como o Teste do Boneco, ou Teste do Goodenough, a Folha Prudhommeau, o Teste Gestáltico Visomotor de L. Bender, etc.

Baseando-se na hipótese de que a representação gráfica, como qualquer traço expressivo da personalidade, tende a integrar-se na direção de um gradual processo de maturação psíquica, Florence Goodenough, em 1925, organizou o Teste do Boneco, que, graças à apuração de 51 itens no desenho, permite a avaliação do nível mental infantil. Seu teste oferece vantagens, porque não exige material específico; basta pedir à criança que desenhe um homem, munindo-a de uma folha de papel e lápis preto. E, ainda, como relação ao mesmo, B. Székely assinala que sua estandardização assegura um alto grau de fidedignidade e validade.

Segundo seu autor, a Folha Prudhommeau serve para a identificação do nível mental e, também, oferece elementos para a interpretação da personalidade e de seus transtornos. Desde 1923, M. Prudhommeau vinha realizando estudos sobre o desenho infantil e, em 1933, elaborou sua Folha que, a partir de 1940, foi incorporada ao Laboratório de Psicologia da Criança, dirigido por Henri Wallon. Suas contribuições podem ser assim resumidas: descobre e analisa fisiologicamente o momento da aparição do comportamento gráfico; estuda o paralelismo da evolução do grafismo-escrita e do grafismo-desenho, caracterizando a originalidade de cada um; compara a evolução de todas as formas gráficas: a geométrica, a figura humana, as figuras não humanas; retifica direções na evolução do desenho; e determina índices para reconhecer, pelo desenho, os deficientes mentais.

A Folha Prudhommeau tem a dimensão de 17cm por 22cm e se compõe de duas partes: a) o cabeçalho, que serve como teste de escrita e b) os desenhos constituídos por 18 modelos, que compreendem formas geométricas, figuras humanas, animais, árvores, etc. Estes desenhos deverão ser copiados pelo examinando, podendo o teste ser aplicado individual ou coletivamente.

O movimento psicológico iniciado por Wertheimer e seus discípulos Kohler, focalizando principalmente o campo da percepção, constituiu, para L. Bender, o ponto de partida de uma série de investigações, que culminaram na organização do seu Teste Gestáltico Visomotor.

Elaborando uma série de conceitos influenciados pela Psicologia da Forma e pelas investigações realizadas sobre o desenho infantil, Bender organizou 9 cartões, contendo desenhos de diversas figuras, a serem copiados, pela criança, em uma folha de papel branco.

Aos resultados dos outros tipos de testes de inteligência, na caracterização do desenvolvimento mental do oligofrênico, pode-se agregar algo extraordinariamente importante, destacado por Bender. Assinalou que parece faltar, na produção gestáltica de oligofrênicos, a integração do fator temporal. E, ainda, a sensibilidade de seu teste para registrar a conduta visomotriz permite, em muitos casos, estabelecer um diagnóstico diferencial entre a deficiência mental específica (oligofrenia) e outros transtornos da personalidade.

III. O teste do desenho como instrumento de diagnóstico da personalidade

O Teste do Desenho como técnica projetiva, em virtude de sua economia do tempo, fácil administração e férteis resultados clínicos, tem-se tornado o mais frequente suplemento do Rorschach e do TAT, nas clínicas psicológicas norte-americanas.

H. Dorken refere no Jornal de Técnicas Projetivas, publicado nos Estados Unidos, em 1952, que a avaliação da arte gráfica foi, provavelmente, a primeira técnica projetiva estabelecida. Um dos primeiros clínicos a notar a simbolização nos desenhos de seus pacientes foi, no século XIX, o psiquiatra francês Max Simon, que ficou chocado com os desenhos obscenos de seus clientes.

Nos anos que se seguiram, as investigações assistemáticas do simbolismo do desenho, os "insights" da psicanálise levaram, tanto leigos quanto clínicos, a se tornarem progressivamente conscientes do fenômeno de que o inconsciente se revela através de aspectos simbólicos do desenho.

1. A fase inicial do desenho como técnica projetiva

F. Goodenough, que havia organizado uma Escola para Avaliação do Nível Mental, baseada principalmente no número de detalhes do desenho de um homem, percebeu também que seu teste permitia a análise de fatores de personalidade. Identicamente, Bender verificou que certas crianças, classificadas pelos professores como portadoras de certos traços psicopatológicos, apresentavam também desenhos com características não encontradas entre as demais crianças. Hanvik também concluiu, através de um estudo experimental, que as crianças emocionalmente perturbadas não desenham a figura humana na proporção de suas aptidões intelectuais.

E, assim, usando o Teste de Goodenough, vários psicólogos clínicos e psiquiatras começaram a verificar qua o desenho oferecia indicações seguras para diagnóstico e mesmo prognósticos de traços de personalidade. Tanto o Teste da Figura Humana como o Teste da Casa-Árvore-Pessoa (House-Tree-Person), que se organizaram como técnicas projetivas para o estudo da personalidade, surgiram da utilização dos Testes do Desenho, como escalas de inteligência. O Teste do Desenho da Figura Humana de Karen Machover surgiu de sua experiência com o Teste de Goodnough, na avaliação da inteligência infantil. Similarmente, John N. Buck organizou sua técnica projetiva usando o desenho da Casa-Árvore-Pessoa, depois de suas experiências na análise de fatores intelectuais no desenho. Desta maneira, Buck e Machover, trabalhando independentemente, na Virgínia e em Nova York, respectivamente, tornaram-se grandes representantes no campo das técnicas projetivas, baseadas no desenho.

2. Evidências da validade da interpretação do desenho como técnica projetiva

As indicações sobre a dinâmica da personalidade projetada no desenho foram descobertas graças ao emprego de várias fontes de evidências, tais como: informações a respeito do paciente; associação livre; interpretação dos símbolos pela análise funcional e comparação de um desenho com outro desenho de uma série, ou por comparação com os dados de Rorschach ou TAT. Todas estas informações foram reunidas pelo emprego do método da consistência interna, que constitui o método preferido dos investigadores orientados para a clínica.

De forma resumida, se pode dizer que o campo da interpretação do desenho como técnica projetiva tem as seguintes bases fundamentais: *(a)* O uso dos significados de símbolos da psicanálise e do folclore, derivados do estudo clínico de sonhos, artes, mito, fantasia e outras atividades influenciadas por determinação do inconsciente; *(b)* Experiência clínica com os mecanismos de deslocamento e substituição, como também com uma extensa gama de fenômenos patológicos, especialmente os sintomas de conversão, obsessões e compulsões, fobias e estados psicóticos, enfim todos os que se tornam compreensíveis somente na estrutura conceitual do simbolismo; *(c)* Liberação da simbolização empregada, despertando as associações do paciente; *(d)* Evidência empírica, que é bem ilustrada quando se faz o estudo de caso; *(e)* A abundância de franca simbolização inconsciente, nas folhas de desenho de inconsciente dos psicóticos; *(f)* A correlação entre as projeções dos desenhos feitos nas diversas fases do tratamento e o quadro clínico, na época em que os desenhos foram produzidos; *(g)* A consistência interna entre as respostas a um teste de personalidade e o Teste do Desenho e, também, a consistência entre estes dados e a História do Caso (Parece adequado ser reproduzido aqui um estudo de Gallase e Spoerl: compararam os desenhos e as estórias do TAT, produzidos por 25 estudantes masculinos. A comparação foi feita em termos de percentagem dos casos, em que os resultados de um teste eram confirmados pelos resultados de outro. A confirmação foi verificada em 72% dos casos. Na área onde não houve acordo, os autores explicaram que os desenhos tendiam a descobrir conflitos e necessidades básicas, enquanto que o TAT descobria a maneira em que os mesmos eram integrados e expressos na situação total da personalidade. Desta forma, onde não houve acordo, as duas técnicas se suplementavam, em vez de se contradizerem); *(h)* E, mais basicamente, a estrutura interpretativa do Desenho como Técnica Projetiva fundamenta-se em estudos experimentais.

Kotkov e Goodman investigaram as premissas básicas da projeção da imagem do próprio corpo no desenho. Compararam o desenho de uma pessoa, feito por mulheres obesas, com os desenhos de um grupo de controle, constituído por mulheres não obesas. Na maioria dos casos, os desenhos das mulheres obesas eram maiores do que os do grupo de controle.

Berman e Leffel compraram os somatótipos de 39 homens com seus desenhos da figura humana, verificando uma correlação estatisticamente significativa, comprovadora da hipótese da projeção da imagem do próprio corpo nos desenhos.

Em um estudo de casos para cirurgia, Meyer, Brown e Levine administraram o Teste do Desenho da Casa-Árvore-Pessoa, antes e depois da operação. Operações de ouvido, remoção de seios, amputações de pernas, perda de um olho, tudo era refletido nos desenhos, como indicadores de conflito na área a ser operada. Sombra excessiva, rasuras, linhas tremidas, ou rejeição premeditada da área que indicava o lugar da operação. A perda de um membro ou de um órgão dos sentidos, em um lado do corpo, era projetada no mesmo lado da figura desenhada. Por exemplo, se o braço esquerdo do paciente tinha sofrido uma cirurgia, ele podia expressar seu sofrimento pelo fato, desenhando sua árvore com os ramos do lado esquerdo quebrados, ou cortados, como também sua figura humana com o braço esquerdo fora do lugar, ou pendendo de um fio, ou escondido, defensivamente, para trás.

Estas descobertas da lateralidade anatômica e sua surpreendente acurada consistência enfatizam a caracterização do autorretrato projetado nos desenhos.

Já se tornaram populares os estudos sobre as pessoas com defeitos físicos, visando confirmar a tese da projeção no desenho. K. Machover observou que pessoas surdas, ou com alguma anormalidade auditiva, emprestaram, com maior frequência, uma atenção especial ao desenho do ouvido, enfatizando-o de alguma forma.

As experiências de L. Bender, com crianças, são na mesma linha. Verificou que as crianças com um grave defeito no corpo, frequentemente, projetam este defeito no desenho de uma pessoa. Uma criança que, desde tenra infância, tinha uma perna mais curta do que a outra, desenhava sempre a pessoa com uma perna mais curta.

Entretanto, não são apenas os aspectos físicos da autoimagem que são projetados, mas também os psicológicos. Em um interessante estudo sobre o papel sexual e o autoconceito, Fischer e Fischer pediram a 76 mulheres, em tratamento psiquiátrico, para desenharem uma figura feminina. Aquelas que desenharam pessoas com um baixo grau de feminilidade, de acordo com o julgamento de julgadores, tendiam a ter menos experiências heterossexuaiss, mais disfunções e vida sexual mais limitada. Aquelas que desenharam figuras altamente femininas tinham levado uma vida de maior promiscuidade, porém menos satisfatórias. O grupo de mulheres que produziu desenhos de feminilidade média tinha alcançado satisfação mais genuína de seu papel feminino.

Em um estudo da projeção da agressividade no desenho, Katz comparou 52 adultos masculinos, convictos de assalto, ou crime de morte, com um grupo de controle. Os itens dos desenhos que diferenciavam, significativamente, o grupo de agressivos dos não agressivos incluía olhos furados e reforçados, pernas abertas, dedos grandes, braços reforçados, dedos reforçados, combinação de linhas fortes, firmes e leves, grandes braços e cabelos reforçados. O reforço das partes do corpo capazes de ação agressiva, como braços e dedos, como também a ênfase nos olhos que pode "dar maus olhares", está de acordo com as hipóteses da projeção no desenho, como é também o reforço do cabelo frequentemente um símbolo da virilidade, ou agressão.

Os desenhos refletem, com muita sensibilidade, o "stress situacional". Meyer, Brown e Levine verificaram que os desenhos de casos aguardando para uma cirurgia mostravam muitas características regressivas, que se desenvolviam depois da cirurgia. Por exemplo, o desenho de uma pessoa, na situação pré-operatória, apresentava, frequentemente, aspectos infantis e, depois da operação, exibia características de adulto. O mesmo ocorria com o desenho da árvore, na fase pré-operatória, um arbusto e, depois, uma árvore completa. Na casa, também, o fenômeno se projetou: uma casa de fase pré-operatória mais se parecia com uma cabana de madeira, ou uma caixa de quatro paredes, com poucas janelas, isolada em uma montanha, evoluindo para uma residência suburbana, no desenho pós-operatório.

Hammer investigou o simbolismo sexual no teste da Casa-Árvore-Pessoa. Na hipótese de que os sujeitos que iriam ser submetidos a uma esterilização eugênica, ou que haviam sido esterilizados, tenderiam a revelar um forte sentimento de castração, os desenhos deste grupo foram comparados com um grupo de controle, por índices de simbolização genital e sentimentos de castração. Diferenças estatisticamente significativas foram encontradas entre os dois grupos, em 26 dos 54 itens investigados. Objetos alongados, como chaminés, ramos, troncos de árvores, braços, nariz, pernas, pés, etc., são suscetíveis de ser utilizados como símbolos fálicos. Círculos, triângulos e objetos com uma fenda vertical podem ser empregados como reflexo da castração, nos desenhos masculinos. É nos desenhos destes símbolos genitais que um indivíduo pode revelar seus sentimentos de inadequação genital e ansiedade de castração. Tais sentimentos podem ser projetados pela representação dos símbolos estragados, cortados, quebrados ou anormais.

Waehner analisou desenhos de alunos de nível universitário e organizou um resumo descritivo da personalidade de cada estudante. Os professores destes alunos foram muito bem-sucedidos no reconhecimento dos estudantes, por meio dos resumos descritivos apresentados. Observou-se também uma perfeita relação entre as interpretações do Rorschach e os resumos descritivos da personalidade, baseados no Teste do Desenho.

Na área da fidedignidade, igualmente, são encontrados bons resultados, baseados em estudos experimentais. Realmente, Machover afirmou que a consistência é tão grande que, ocasionalmente, desenhos de pacientes produzidos num período de vários anos são tão semelhantes, que constituem verdadeiras assinaturas.

Assim, a afirmação de que o indivíduo desenha o que sente, em vez de somente o que vê, resume as observações dos clínicos e experimentadores mencionados. O indivíduo, pelo tamanho, localização, pressão do traço, conteúdo do desenho, etc., comunica o que sente, em adição ao que vê. Seus aspectos subjetivos definem e dão cor às suas intenções objetivas.

3. Áreas em que a utilização do desenho como técnica projetiva é mais vantajosa

O Desenho como Técnica Projetiva já ultrapassou a fase de se inquirir se se trata de uma boa técnica para a exploração da personalidade, achando-se, pois, no estágio de se perguntar: "Em que áreas, ou para que problemas é mais vantajosa?"

Tentando satisfazer à pergunta feita, Hammer expendeu os comentários que serão resumidos a seguir:

(a) O Desenho, técnica basicamente não verbal, tem a óbvia vantagem de ter maior aplicabilidade a crianças mais jovens. Vários especialistas como L. Bender, Flugel, Levy têm feito observações nesse sentido. Este último, empregando o desenho como um complemento, na psicanálise de crianças, mostrou-se impressionado com o fato de que as crianças acham muito mais fácil expressar-se através de desenhos do que de palavras.

O teste projetivo não verbal é também mais vantajoso entre *(b)* os indivíduos sem escolaridade, *(c)* o mentalmente defeituoso, *(d)* os estrangeiros, como também os mudos, *(e)* os muito tímidos e retraídos, crianças ou adultos, *(f)* as pessoas das classes sociais inferiores que, frequentemente, se sentem inadequadas, com relação à sua capacidade de expressar-se verbalmente, e *(g)* aqueles de orientação concreta.

(h) L. Bender acresce à lista o caso dos clientes das Clínicas de Leitura: os indivíduos com perturbações em leitura, com muita frequência, mostram-se compensatoriamente adeptos da habilidade artística, para articular seus problemas emocionais e sociais. Os bloqueios emocionais nas áreas verbais, frequentemente, embaraçam as performances nos Testes de Rorschach ou TAT.

(i) Quando o indivíduo coopera conscientemente e não oferece resistência no nível do subconsciente, geralmente os clínicos concordam que o Rorschach, comumente, oferece um quadro mais rico da personalidade, mas quando o indivíduo é evasivo, ou precavido, o Desenho como Técnica Projetiva tem sido considerado como o instrumento mais indicado. O volume daquilo que o Rorschach produz da personalidade do indivíduo vem por meio de uma rota relativamente indireta. Os perceptos do sujeito no Rorschach devem, primeiro, ser traduzido e, depois, ser comunicados em linguagem verbal.

Por outro lado, nos desenhos, o indivíduo se expressa de uma forma mais primitiva, concreta, em nível motor. Landisberg comenta que, no Rorschach, os indivíduos parecem mais intelectualmente conscientes de sua expressão verbal, enquanto que perdem um pouco deste controle em sua expressão criadora e motora, no desenho.

E Hammer cita o caso de um candidato a treinamento para se tornar psicanalista, que foi submetido a um exame psicológico, e comentou sua fuga a todo tipo de resposta que pudesse comprometê-lo, nos testes de Rorschach e TAT. Entretanto, acrescentou: "Não pude controlar a maneira como saiu o desenho da mulher". O candidato tentou expressar um sorriso muito doce, na mulher desenhada, mas apagou e desenhou, acabando a figura por exibir uma expressão ameaçadora.

As defesas estereotipadas são aplicadas com mais dificuldade nas projeções grafomotoras do que nas verbais, observou K. Machover.

(j) Ultimamente, têm surgido interessantes observações sobre os efeitos da existência de diferenças nas profundezas da personalidade, analisada por técnicas projetivas verbais, ou não verbais. O emprego do Desenho como Técnica Projetiva levou a se descobrir que os conflitos mais profundos, frequentemente, se refletem mais prontamente no papel.

Em um estudo comparativo do desenho com os resultados do TAT, Gallase e Spoerl verificaram que a maior parte do material colhido do Teste do Desenho-de-Uma-Pessoa era de nível inconsciente e representava as necessidades básicas, quase sem alterações, enquanto que o material do TAT era mais colorido e alterado pelos mecanismos de defesa, já muito comuns.

Zucker, em suas pesquisas, concluiu que os Desenhos são os primeiros a indicar estados psicopatológicos incipientes e os últimos a perder os sinais da moléstia, depois que o paciente se está recuperado. Os Desenhos são, portanto, altamente sensíveis às tendências psicopatológicas, superando as outras técnicas projetivas, nesse sentido.

(k) Em uma bateria projetiva, os Desenhos desempenham a função especial de reduzir ao mínimo a ameaça e absorver ao máximo o choque da situação do teste. Como primeiro teste na bateria, os Desenhos servem-se como um elemento de ligação para facilitar o exame clínico; a tarefa de desenhar facilita ao examinando excluir o examinador, na fase inicial, e seu ajustamento ao ambiente estranho.

Duhsler refere que as pessoas com distúrbios emocionais podem ser levadas, mais facilmente, do desenho à expressão verbal. Bender também valoriza a utilidade do Desenho como um meio de estabelecer o "rapport" na situação.

(l) Os desenhos têm aplicabilidade especial na área da testagem para a organicidade. Landisberg diz que as evidências da organicidade podem ser obtidas, de forma mais definida, no teste da Casa-Árvore-Pessoa, do que no Rorschach. Isto parece decorrer do fato de que o Teste da Casa-Árvore-Pessoa força o indivíduo a usar seus recursos psíquicos de forma muito mais independente e volitiva. Manchas de tinta são manchas de tinta. Os padrões e fronteiras são mal definidos, mas servem como apoio. E o orgânico, o concreto, tal como é, tem, pelo menos, alguma coisa a ser construída. Mas somente com uma folha de papel branco diante de si e uma palavra, indicando um conceito, as fraquezas básicas do examinando e suas temerosas respostas tendem a se revelar, mais facilmente.

Estas observações estão consistentes com os comentários de Schafer de que não há dúvida sobre o que se vê nas Pranchas do Rorschach; a mancha de tinta está diante de cada um; ela é estática; sua forma, sombreado e colorido são definidos e fixos. Assim, nesta área, a relativa vantagem dos desenhos origina-se do fato de que o Rorschach tende mais ao uso de estímulos ambíguos e os desenhos, mais para o emprego de condições não estruturadas. A criatividade envolvida no Rorschach é, exclusivamente, do tipo associativo. O indivíduo, face a uma configuração imutável, é solicitado a rogar ao conteúdo de seu ego um conceito que corresponda, mais ou menos, à forma real da configuração. Não se pede ao indivíduo para alterar a realidade, como ocorre no caso dos desenhos.

(m) Face às diferenças entre os instrumentos verbais e não verbais, o Desenho como Técnica Projetiva tem aplicabilidade, especialmente, em algumas áreas de diagnóstico. Nas condições de esquizofrenia latente, o indivíduo não tem muita consciência de si mesmo; está sabendo que alguma coisa ligada ao controle de situações carregadas de afetividade não está certa e, mesmo se fosse possível, poderia conceber uma adequada imagem carregada afetivamente, sem ser capaz de verbalizá-la.

Com relação às áreas de diagnóstico, Schafer escreve que, não raro, são encontrados pacientes que, devido à repressão, depressão, negativismo, ou orientação paranoide, ou defeito psicológico, produzem um mínimo de respostas, isto é, reduzido número de respostas, breves e de conteúdo árido. Particularmente, isto ocorre no Rorschach e no TAT. É em tais casos que se recomenda a introdução do Desenho na bateria.

(n) Na aplicação coletiva, o Teste do Desenho sofre menor redução do material oferecido pelo examinando do que o Rorschach. Hammer vem observando que o Teste do Desenho aplicado em grupo, quando há mais distância emocional e física entre o examinando e o examinador, propicia material muito mais rico e projetado mais abertamente. Raven obteve resultados semelhantes com as Matrizes Progressivas, assinalando que o teste individual parece introduzir fatores emocionais, que são menos operativos, quando se permite à pessoa trabalhar em seu próprio ritmo. O teste coletivo parece produzir uma amostra

mais fiel da produção de uma pessoa. Os estudos com outros testes têm, também, indicado que os testes coletivos são mais expressivos do que os testes individuais.

Ultimamente, vários autores têm focalizado a influência contaminadora da personalidade do examinador nas projeções do estado. A maior ou menor contribuição do examinando depende da própria personalidade e do estado emocional do examinador, suas reações para com o paciente, sua forma usual de administrar testes, seus talentos, suas sensibilidades e outras tendências e circunstâncias. Há, por exemplo, examinadores autoritários, examinadores competitivos... uma variedade de tipos de examinadores. Eysenck retoca estes comentários de Schafer, dizendo que é difícil controlar as influências da personalidade do examinador, particularmente quando o mesmo estímulo – uma bela jovem como examinadora, por exemplo, – pode significar coisas muito diferentes e despertar emoções diversas em indivíduos diferindo em idade, sexo e felicidade conjugal.

Há evidências experimentais de que examinadores diferentes tendem a alcançar diferentes distribuições médias de dados do Rorschach, nos casos por eles examinados. Também estudos, nos quais foi usada a frustração em conjunção com a administração do TAT, indicaram que a maneira pela qual o testado sentia o examinador aumentava o número de temas de agressão e punição.

Assim, o Teste do Desenho, que se presta mais facilmente à administração coletiva, do que o Rorschach, pode ser usado para reduzir a influência da personalidade do examinador, na situação projetada.

(o) Na base do item anterior, os desenhos do examinando representam uma amostra de seu comportamento, que não foi exposto à possibilidade de distorção, que está sempre presente nos procedimentos de registro de comportamento, envolvidos nas interações entre paciente-examinador. A performance do sujeito é escolhida na folha de papel.

Outra vantagem da pesquisa através do Desenho como Técnica Projetiva está no fato de que o mesmo é, essencialmente, uma técnica livre das influências culturais (Culture-free technique) para uso antropológico, na investigação de outras culturas, eliminando o problema da linguagem.

(p) Para ser usado no reteste, o Teste do Desenho pode ser mais sensível aos fluxos e refluxos das mudanças terapêuticas, menos influenciado pela lembrança dos testes anteriores, contaminando a produção presente. O próprio Rorschach afirmou que, se o teste for repetido, a lembrança dos efeitos conscientes ou inconscientes contaminará os resultados. No Desenho, o indivíduo tem menor tendência a se lembrar de suas projeções anteriores, quando diante da folha em branco, do que quando diante dos mesmos estímulos do Rorschach ou TAT. Ou se ele se lembra, acentua Hammer, terá menor probabilidade de repeti-la, meramente, porque as mesmas foram evocadas.

Luchins criticou a tendência dos clínicos de procederem a um diagnóstico, no início dos contactos psicoterapêuticos, e, depois, paderecem de falta de flexibilidade para alterar a estrutura de referência do diagnóstico, através de posteriores estudos do paciente. Desta maneira, impõe-se a necessidade do reteste, indicando-se o Teste do Desenho como instrumento que satisfaz, perfeitamente, tais exigências.

(q) O Desenho como Técnica Projetiva reflete uma impressão do "todo" individual como uma "Gestalt" organizada, que aparece, em toda a sua extensão, através de um olhar do examinador experimentado na técnica de interpretação do Desenho, sem necessidade de muitos cálculos e escores, como é necessário, por exemplo, no Teste de Rorschach. Tudo o que está no Desenho – cada linha, cada parte em suas relações com as outras partes, o aspecto da composição como um todo apresenta um efeito unificado que ele, mais prontamente do que o interpretador do Rorschach, pode perceber em sua integração total. A projeção do Desenho é apreendida pelo clínico como uma unidade; o Rorschach deve ser tratado parte por parte.

Os métodos de análise dos escores do Rorschach e do TAT fornecem meios para classificar a produção unificada e pessoal do indivíduo, em termos da estrutura conceitual e experimental do examinador; neste sentido, a "Gestalt" da performance do examinando é, de alguma forma, arbitrariamente, destruída e distorcida, segundo a orientação de quem a interpreta.

(r) Visando facilitar a comunicação interprofissional, o Desenho serve como um instrumento clínico útil para o "staff" de psiquiatras não treinados nas Técnicas Projetivas e para se reconhecerem as visíveis mudanças nas imagens de um desenho para outro, nos retestes. O fato de que os psiquiatras podem, rapidamente, aprender a simpatizar-se com o Teste do Desenho estimula seu interesse nas contribuições dos psicólogos, como membros do time clínico. Do ponto de vista dos psicólogos, é mais fácil explicar as descobertas feitas pelo Teste do Desenho (na base de suas evidências), do que, por exemplo, as descobertas do Rorschach.

SEGUNDA PARTE

TÉCNICA DE APLICAÇÃO DO DESENHO PARA DIAGNÓSTICO DA PERSONALIDADE E NORMAS DE INTERPRETAÇÃO

A. MATERIAL PARA APLICAÇÃO DO TESTE

1) *Folha de papel-jornal branco*, não transparente, não brilhante, de 8½ por 11 polegadas ou 18X21cm.

II) *Lápis*: número 2, ponta feita a mão (regular, nem grossa, nem fina).

III) *Caixa de lápis de cor*: Segundo E. Hammer, deve consistir de 8 cores: vermelho, verde, amarelo, azul, marrom, preto, roxo e laranja.

IV) *Mesa e cadeira confortáveis para o propósito* – A mesa deve oferecer condições materiais para que o propósito possa assumir seu estado atual de relaxamento, de modo que qualquer tensão física possa ser atribuída à origem endógena, ao invés de imposta ao mesmo por situação física externa.

Sobre a mesa não deve existir nada.

V) *Borracha macia*, à disposição, para atender à solicitação. E. Hammer não contraindica a apresentação da borracha para o examinando dispor dela, caso sinta necessidade.

B. TÉCNICA DE ADMINISTRAÇÃO DO TESTE

I. Atitude do examinador

Deve comportar-se com o máximo de discrição possível, apresentando aspecto tranquilo e neutro. Não deve alterar as instruções preconizadas pelo Teste.

II. Anotações que o examinador deverá fazer

Munido de uma folha de papel, deverá anotar tudo o que vai acontecendo, de forma muito discreta.

No canto superior direito da Folha de Registro utilizada, o examinador anotará: nome do propósito, sexo abreviado, idade cronológica, quociente intelectual, data da aplicação do teste e aporá sua assinatura (do examinador).

Na Folha de Registro, deverá escrever toda a verbalização do propósito; tiques, traços feitos com a mão direita ou com a esqueda, movimentos, etc.

Tais anotações são valiosas, porque, além do desenho, os movimentos e verbalizações do propósito oferecem indicações de seus traços de personalidade. Ele se entrega confiante e confortavelmente à tarefa? Expressa dúvidas sobre sua habilidade e, nesse caso, expressa essas dúvidas direta ou indiretamente, verbalmente, ou através de atividade motora? Realiza movimentos, ou exibe expressões verbais que revelam insegurança, ansiedade, suspeita, arrogância, hostilidade, negativismo, relaxamento, tensões emocionais, humores, autocrítica, cautela, impulsividade. Um psicólogo alerta será capaz de formar uma impressão geral do propósito, como resultado de seu comportamento preliminar.

Mesmo que as atitudes do propósito se tornem ridículas, o examinador não deve demonstrar choque, mas deve mostrar-se uma pessoa neutra.

O examinador poderá dizer palavras de estímulo, quando sentir necessário, sem alterar as instruções específicas do Teste.

Tendo anotado tudo, deverá grampear a Folha de Registro ao desenho do propósito.

No caso de administração do teste individualmente, ainda deverão ser anotados os movimentos que o examinando der ao papel.

Visando indicar os movimentos que o propósito der ao papel, poderão ser feitas as seguintes anotações: movimento para cima, para baixo, para a esquerda, para a direita.

Se virar a folha para o dorso, também se deve anotar.

Os movimentos dados ao papel indicam os seguintes traços psicológicos:

1) *Oposição* – não se acha bem ajustado ao meio e o número de vezes que virar o papel indicará o grau de oposição.

2) *Dissimulação* – poderá ser uma reação para se refazer o choque sentido, quando descobriu que iria ser testado.

3) *Verbalização* – quando acompanha o virar do papel, pode indicar uma fuga ao meio ambiente.

III. Entrega do papel e lápis e instruções ao propósito para desenhar

O teste do grafismo pode ser aplicado individual ou coletivamente, isto é, em pequenos grupos. Neste último caso, face à economia de tempo, possibilita uma joeiragem para a identificação dos casos que apresentam problemas, mas não permite que se proceda às observações e anotações minuciosas sobre cada propósito, como ocorre na aplicação individual.

Segundo John Buck, pode-se obter uma bateria de testes constituída pela sequência: Desenho de uma casa, desenho de uma árvore e desenho de uma pessoa. Assim, obtém-se o que ele chama de Teste HTP (House, Tree, Person), que é pedido primeiro, somente a lápis preto e, depois, em cores, constituindo, respectivamente, a bateria acromática e cromática do HTP.

Entretanto, ainda se pode ampliar a bateria daquele psicólogo norte-americano, pedindo-se ao propósito mais alguns desenhos, formando-se uma bateria, organizada na seguinte ordem:

1) Desenho de uma casa;

2) Desenho de uma árvore;

3) Desenho de uma pessoa;

4) Desenho de outra pessoa do sexo oposto ao da primeira desenhada;

5) Desenho da família;

6) Desenho espontâneo.

Deve-se pedir os desenhos ao propósito, mais ou menos, com as seguintes palavras:

"Agora, você, ou vocês (no caso da aplicação coletiva) vão desenhar uma casa. Faça o melhor que puder. Pode usar o tempo que quiser". Com referência à árvore, será interessante pedir o desenho de "uma árvore frutífera", tal como Koch preconiza.

E, assim, proceder-se-à em relação aos demais desenhos.

Quando se trata de aplicação em grupo, o examinador entregará uma folha para cada examinando e, no caso da aplicação individual, o papel deve ser constituído por tantas folhas quantos forem os desenhos, que constituem a bateria, sendo utilizada uma folha de cada vez, para cada desenho. Se o desenho pedido for o de uma casa, ou da família, a folha deve ser apresentada ao examinando, com seu eixo maior horizontalmente, mas se o desenho for de uma pessoa ou de uma árvore, deve ser apresentado com o eixo maior em posição vertical.

Se o propósito pede permissão para usar, ou tenta usar, qualquer auxílio mecânico, diz-se-lhe que o desenho deve ser feito a mão livre.

A ordem de solicitação dos desenhos deve ser sempre a mesma: primeiro Casa, depois Árvore, depois Pessoa; depois Pessoa do sexo oposto, depois Família. E F. Hammer comenta que a manutenção desta ordem proporciona uma gradual introdução do examinando na tarefa de desenhar, levando-o paulatinamente aos temas mais difícies de desenhar. O sujeito é levado ao autorretrato mais neutro – desenho da Casa – ao de maior implicação afetiva, que é o desenho da Pessoa.

Depois que a bateria acromática estiver pronta, o examinador recebe os desenhos e o lápis preto, dando novas folhas e a caixa de lápis de cor. O lápis deve ser recolhido, para que o examinando não seja tentado a fazer o contorno a lápis preto, para depois colori-lo.

No caso da bateria cromática, deve-se pedir:

"Agora, por favor, desenhe uma casa colorida".

E assim se deve proceder para os demais desenhos.

Não se deve pedir para desenhar "outra Casa", ou "outra Árvore", etc., porque a palavra "outra" pode significar que ele não deve repetir o mesmo tipo de desenho feito só a lápis preto. Visa-se prover o indivíduo com a maior amplitude de escolhas.

A qualquer pergunta dos examinandos, sempre se responde: "Como você quiser". "Do tipo que você gostar".

Do pedido do desenho, pode resultar uma série de indagações e verbalizações: "Que tipo de casa?"; "Não sei desenhar", etc.

Em resposta à perguntas relacionadas com o tipo de desenho, o examinador deve limitar-se a uma afirmação muito geral, tal como "Desenhe o que deseja, como deseja". Isto pode ser repetido em um esforço para encorajar, ou estimular o sujeito, mas não deve ser dada nenhuma outra indicação.

Com relação às expressões de dúvida sobre a competência artística do sujeito, o examinador poderá responder:

"Está bem; não estamos interessados em ver se você desenha bem, mas, apenas, que você desenhe o que foi pedido."

Isso pode ser repetido e reformulado, nunca de forma mais específica.

Face às instruções recebidas para desenhar uma pessoa, o propósito pode reagir de numerosas formas diferentes. Por exemplo, ele pode desenhar uma pessoa completa, uma pessoa incompleta, uma caricatura, uma figura estereotipada (amigo da onça, por exemplo), ou pode expressar uma relutância contínua.

Cada um dos tipos de comportamento exibidos pelo propósito traz informações sobre sua personalidade, sendo de grande importância, portanto, para o diagnóstico.

Quando o propósito desenha uma pessoa incompleta, pede-se para que tome outra folha e desenhe uma completa. É necessário explicar-lhe o que é uma pessoa completa; uma figura que inclui a maior parte das quatro áreas principais do corpo. As quatro áreas do corpo são: a cabeça, o tronco, os braços e as pernas. Se qualquer dessas áreas é completamente omitida, a figura está incompleta. Se, apenas, uma parte de uma área é omitida, por exemplo, as mãos, ou os pés, ou uma das partes do rosto, o desenho é aceito como completo.

Quando o propósito desenha uma caricatura, uma figura esquemática, ou estereotipada, ou uma representação abstrata, pede-se para tomar outra folha e desenhar uma pessoa, porque caricatura, figuras esquemáticas, etc., não são aceitáveis. E, assim, as instruções são repetidas, até que resulte uma figura satisfatória.

Se a primeira pessoa desenhada pelo propósito é masculina, o examinador dirá: "Essa é uma figura masculina; agora, por favor, desenhe uma figura feminina".

Se a primeira figura é feminina, o examinador dirá: "Você desenhou uma figura feminina; agora, por favor, desenhe uma figura masculina".

No caso de aplicação de teste, individualmente, Hammer acha que o papel deve ser colocado em uma pilha, ao alcance da mão, de forma que o propósito possa colecionar a folha e colocá-la em qualquer posição que prefira. Isso deve ser feito sobre uma mesa de superfície plana, adequada e suficientemente iluminada. O propósito deve estar confortavelmente sentado, com espaço suficiente para os braços e pernas.

IV. Análise das associações do teste

Em uma segunda parte mais profunda da aplicação do teste do grafismo, procede-se ao que se chama a análise das associações.

O objetivo desta análise é elucidar alguns significados específicos e problemas particulares do desenho. O método associativo oferece um excelente tema para o interrogatório indireto. A maioria das pessoas não atende ao modelo gráfico, quando começa a produzir associações, introduzindo as personalizações inconscientes, começando a falar "eu", ainda que, aparentemente, falem da pessoa ou da figura desenhada.

Com relação ao desenho da pessoa, Karen Machover organizou um extenso questionário destinado a descobrir as atitudes do propósito para consigo mesmo e para com os demais.

Depois que o propósito terminou os desenhos, o examinador procederá ao inquérito, relativo a cada um dos mesmos. Assim, apresentando ao propósito o desenho da casa, dirá: "Muito bem, vejamos agora se inventamos uma história sobre esta casa, como se fosse uma novela, ou uma peça de teatro. Por exemplo, de quem é essa casa? Possui escada? Você gostaria de morar nela? etc. As perguntas serão formuladas à semelhança do que consta nos questionários, tendo em vista a ideia central de cada pergunta, mas o examinador terá liberdade para reformulá-las à vontade. No caso do desenho da pessoa, deve-se tormar aquele que representa o mesmo sexo da pessoa, para o inquérito. Em se tratando de pessoa alfabetizada, capaz de expressar-se, por escrito, deve-se pedir-lhe que invente a história e, então, entrega-se o questionário relativo ao desenho, cada um por sua vez.

Convém observar que, quando o propósito for criança, há um questionário diferente daquele empregado pelo adulto, com referência ao desenho da pessoa.

QUESTIONÁRIO DE ASSOCIAÇÕES PARA SER RESPONDIDO PELO PROPÓSITO

Instruções: Para responder ao questionário que se segue, basta você deixar a sua imaginação o mais livre que puder.

Olhando para cada um dos desenhos que você fez, responda sucintamente.

Desenho de uma casa

1) É a sua casa?

2) De quem é essa casa?

3) Essa casa possui escada?

4) Gostaria de morar nela? Por quê?

5) Que quarto escolheria para você? Por quê?

6) Com quem gostaria de morar nessa casa?

7) O que mais faz falta nessa casa?

Desenho de uma árvore

1) Que árvore é esta que você desenhou?

2) Onde poderia estar situada? Quem a plantou? Por quê?

3) Essa árvore está sozinha ou no meio de outras?

4) Será que gostaria de estar no meio de outras árvores?

5) Que impressão lhe causa: parece uma árvore viva ou morta? Por quê?

6) Quanto falta para ela morrer?

7) Comparando outra árvore com uma pessoa, você diria que esta árvore é do sexo masculino ou do sexo feminino?

8) Agora, olhando o seu desenho, o que lhe sugere?

9) Você gostaria de dizer mais alguma coisa a respeito dessa árvore?

Desenho de uma pessoa

O que está fazendo ....Idade ....
Casada? ....Tem filhos ....Vive
com ....Sente-se mais ligado à ....
Irmãos ....Tipo de trabalho ....
Instrução alcançada ....Ambições ....
Capacidade ....Forte .... São ....
Bem moço ....O melhor dele é ....
O pior ....Tipo nervoso ....
O que tem no pensamento.......................... Temores ....
......................Está triste ou alegre? .... O que detesta .... O que mais deseja ....

.... O que é bom nele ....
O mau .... Sempre só ou com outros ....O que dizem dele ....
Olham-no ou falam dele .... Acredita nas pessoas? .... Teme aos demais?
.... Como está com a esposa, marido ou pai? .... Separados? ....
Fugiu? .... Relações sexuais .... Primeira experiência sexual .... Tem noiva?
.... Espera casar-se? .... Tipo de jovem com quem sai .... Teve, alguma vez, relações sexuais com pessoas de seu sexo? ....
Masturba-se .... Que pensa dela? ....
.... Quem lhe lembra a pessoa do desenho? .... Gostaria de ser como ela? ....

Valorização própria do paciente

Pior parte do seu corpo .... A melhor parte é .... Que tem de bom? ....
.... Qual é sua parte má?..

Desenho da família

1) Quem são as pessoas que desenhou?

2) Estão aí todos os seus parentes?

3) Quem está faltando?

4) Por que não está aí?

5) Em que vovê estava pensando, quando estava desenhando?

Desenho espontâneo

1) Que representa o seu desenho?

2) Este foi o 1º tema em que você pensou ou você quis desenhar outras coisas? Nesse caso, em que você pensou antes?

3) Agora, olhando o seu desenho, como o considera?

QUESTIONÁRIO DE ASSOCIAÇÕES PARA O DESENHO DA PESSOA, EM CASO DE O TESTADO SER CRIANÇA

1) De que sexo é esta pessoa?

2) Qual a idade aproximada que você lhe daria?

3) Que aparência tem?

4) Como se sente?

5) Em que pensa?

6) Quais as suas necessidades?

7) Quais as suas qualidades?

8) Quais os seus defeitos?

9) Se esta pessoa fosse a personagem central de uma novela, que tipo de pessoa representaria melhor?

10) Agora, olhando para o seu desenho, você gostaria de dizer mais alguma coisa?

V. Recusa a desenhar

Pode expressar uma autocrítica profunda.

O examinador deve procurar influenciar o propósito, a fim de levá-lo a desenhar.

C. INTERPRETAÇÃO DE ALGUNS ASPECTOS GERAIS DO DESENHO

I. Localização no papel

1) No meio da página

Indica pessoa ajustada.

Crianças que desenham no centro da página mostram-se mais autodirigidas, autocentradas.

2) Desenhos fora do centro da página

Pessoas mais descontroladas e dependentes.

Desenho não levado a grandes extremos da página indica grande segurança.

3) Desenho em um dos cantos

Pessoas fugindo ao meio. Pode indicar fuga ou desajuste do indivíduo ao ambiente.

4) No eixo horizontal, desenho mais para a direita do centro horizontal

Comportamento controlado, desejando satisfazer suas necessidades e impulsos, prefere satisfações intelectuais, do que as emocionais.

5) No eixo horizontal, mais para a esqueda do centro horizontal

Comportamento impulsivo, procura satisfação imediata de suas necessidades e impulsos.

6) Lado esquerdo da página

Indica inibição ou controle intelectual, introversão.

7) Lado direito

Extroversão e procura de satisfação imediata. O desenho no canto superior direito é menos grave que no canto esquerdo.

8) Na linha vertical, acima do ponto médio

Desajuste com possibilidade de reagir ao mesmo. Acha que está lutando muito, seu "goal" é inatingível; tende a procurar satisfação na fantasia, em vez de na realidade; tende a manter-se alheio e inacessível.

9) Abaixo do ponto médio da página

O indivíduo sente-se inseguro e inadequado, em depressão, preso à realidade e ao concreto, firme e sólido.

Criança de escola primária prefere o *quadrante de cima e esquerdo,* mas quando atinge o 8º ano escolar volta gradualmente para o centro.

10) Abaixo, mas quase no centro

Desajuste, debilidade física e fuga.

11) Fora da margem do papel

Debilidade mental ou fraco índice de socialização.

12) Figuras dependuradas nas margens do papel (como janelas dependuradas dos bordos das paredes)

Refletem necessidade de suporte, medo de ação independente, falta de autoafirmação do sujeito.

II. Pressão no desenhar

Também oferece indicações sobre o nível de energia do sujeito.

1) *Pouca pressão, traço leve*

Baixo nível de energia, repressão e restrições.

NEURÓTICOS MEDROSOS, ESQUIZOFRÊNICOS CRÔNICOS E CATATÔNICOS exibem pouca pressão, linhas quase esmaecidas.

Indivíduos deprimidos e com sentimentos de inadequação preferem traços muito leves, quase apagados.

2) *Muita pressão, traços fortes – Sujeitos extremamente tensos*

PSICOPATAS, CASOS ORGÂNICOS, EPILÉTICOS E ENCEFALÍTICOS empregam forte pressão. Foi encontrada variação na pressão entre os mais flexíveis, adaptáveis, em contraste com a grande uniformidade de pressão exibida pelos catatônicos e os débeis mentais.

III. Caracterização do traço

1) *Forte* – Medo, insegurança, agressividade sádica, dissimulação.

2) *Leve normal* – Bom tônus, equilíbrio emocional e mental.

3) *Apagado* – Dissimulação da agressividade, medo de revelar seus problemas, debilidade física, inibição, timidez discreta.

4) *Trêmulo* – Insegurança, dissimulação em que ganha tempo para procurar enfeitar os traços. Doenças cerebrais, disritmia, esgotamento nervoso.

5) *Reto com interrupções* – Pessoa que contorna a situação. Dissimulação do problema. Pessoa agressiva que se controla.

6) *Interrompido, mudando de direção* – Dissimulação do caráter. Não aceitação do meio ambiente. Oposição.

7) *Peludo* – Personalidade primitiva, age mais pelo instinto do que pela razão. Quase sempre acusa uma disritmia.

8) *Ondulado, dentro do tipo ciclotímico* – Disritmia. Doença cerebral.

9) *Em negrito* – Entrando em conflito.

10) *Pontilhado* – Dissimulação bem grande, quase em neurose.

11) *Apagado e retocado* – Zona de conflito. Quanto maior o reto, maior o conflito.

12) *Sombreado* – Pessoa sonhadora. Pode ser ainda descuidada, sádica, mascara seus conflitos, medo e insegurança. Presa à fase anal. Pouco cuidadosa com a roupa.

13) *Passado e repassado* – Conflito na zona em que aparecer: boca, braço, etc.

14) *Apagado, emendado e retocado* – Zona de conflito e dissimulação.

15) *Repetido* – Uso de muitos traços para o desenho. Insegurança sentimento de perda afetiva, imaturidade sexual, homossexualidade (principalmente no desenho da árvore). Agressividade ao problema encontrado.

16) *Reta quebrada* – Traço dentilhado. Pode aparecer nos acessórios e não na própria figura. Repressão à agressividade, com tendências à introspecção.

17) *Anguloso* – Tendência à introversão, ao isolamento. Aparecendo em figura com reforço no contorno e negrito juntos, indica rejeição à figura humana. Trata-se de conflito grave, encontrado em casos de crianças violentadas, quando menores, etc. São problemas gravíssimos.

IV. Simetria do desenho

1) *Falta de simetria* – Insegurança emocional.

2) *Simetria bilateral* – Rigidez. Sistema obsessivo-compulsivo de controle emocional, e que pode ser expresso por repressão e superintelectualização. Também pode indicar depressão.

V. Detalhes no desenho

1) *Detalhes inadequados* – Tendência a retraimento.

2) *Falta de detalhes adequados* – Sentimento de vazio e energia reduzida, característica de indivíduos que empregam defesas pelo retraimento e, às vezes, depressão.

3) *Detalhe excessivo* – Compulsivo-obsessivo.

Crianças neuróticas ou adultos com sentimento de que o mundo é incerto, imprevisível, ou perigoso, tendem a procurar defender-se contra o caos externo ou interno. Criando um mundo rigidamente organizado e altamente estruturado. Seus desenhos são muito exatos. Criam elementos rígidos e repetidos. Não há nem uma linha fora do lugar, ou relaxada em seus desenhos. Tudo é posto junto pela força, sentem que sem pressão tudo se desagregará.

Obsessivo-compulsivos e esquizofrênicos incipientes ou orgânicos – Performances muito perfeitas, executadas com inusual cuidado e controle indicam um eu muito fraco, medo de se levarem pelos impulsos, não podendo relaxar sua vigilância.

O sentimento de rigidez é o mais frequente acompanhamento de detalhe excessivo. Representam uma pessoa com corpo e cabeça bem eretos, pernas presas uma à outra, num estado de rígida tensão, mantendo o "self" contra o mundo exterior. Expressam atitude basicamente defensiva.

Para estas pessoas, as relações espontâneas com outras pessoas e o mundo exterior representam uma grande ameaça. São incapazes de relaxamento ou comportamento impulsivos. Atuam sempre, precavidamente, sob pressão do dever.

Esta rigidez defensiva impede a espontaneidade e autoafirmação, que permite uma legítima quantidade de irresponsabilidade, indulgência e relaxamento nas pessoas.

VI. Movimentos nos desenhos

Quase todos os desenhos sugerem alguma forma de tensão cinestésica, desde a rigidez até a extrema mobilidade.

Pessoas jovens mostram mais movimentos funcionais ou abortados, produtos de suas fantasias.

Figura sem movimento indica repressão, inibição, repressão aos estímulos interiores. Quanto menos movimento, mais curto será o caminho para a neurose.

O movimento está associado à inteligência e ao tônus vital.

1) *Movimento excessivo* – Indica histerismo latente, excitação. Também pode ser necessidade de comunicação (se os traços tendem a sair da margem trata-se de aspectos negativos). O

indivíduo inquieto, o homem de ação, produz desenhos que contêm considerável movimento.

2) *Movimento monótono* – Pode corresponder a uma apatia.

3) *Movimento hesitante* – Insegurança, dissimulação, fraco controle sobre as reações.

VII. Tamanho da figura

A relação entre o tamanho do desenho e o espaço disponível na folha de papel pode estabelecer um paralelo com a relação dinâmica entre o sujeito e o seu ambiente, ou entre o sujeito e as figuras parentais.

O tamanho sugere a forma pela qual o sujeito está reagindo à pressão ambiental.

O tamanho da figura contém, portanto, indicações sobre a autoestima, autoexpansão, ou fantasias de autossuperação (aumento da valorização própria).

Entretanto, importa definir o critério para a diferenciação do que se deve considerar como desenho grande, ou como desenho pequeno, o que se pode fazer pela definição do desenho considerado como médio.

O desenho médio de uma figura completa é aproximadamente de 7 polegadas de comprimento, ou dois terços do espaço disponível.

1) *Tamanho normal* – Inteligência, com capacidade de abstração espacial e de equilíbrio emocional.

2) *Tamanho diminuto* – Pode ser caso de inteligência elevada, mas com problemas emocionais. Pode indicar inibição da personalidade, desajuste ao meio, repressão à agressividade, fator somático (caso de desnutrição). Timidez e sentimento de inferioridade.

3) *Tamanho grande* – Fantasia. Se está bem centrada, pode ser ambições que serão alcançadas.

4) *Tamanho exageradamente grande* (atingindo quase os limites da página) – Sentimento de constrição do ambiente, com

concomitante ação supercompensatória, ou fantasia (uma pessoa pequena que se desenha grande, por exemplo). Debilidade mental, não tem noção de tamanho.

Também em outros desenhos, pederá revelar ainda tendências narcisistas, ou exibicionistas (Narcisista ama a si mesmo – egocentrismo).

Desenho muito grande também revela forte agressividade.

VIII. Uso da borracha

1) *Uso normal* – Autocrítica.

2) *Ausência total*, quando a borracha se acha presente – falta de crítica.

3) *Uso exagerado da borracha* – autocrítica já consumada e estruturada. Incerteza, indecisão e insatisfação consigo mesmo.

Ainda pode indicar dissimulação, falta de controle e fuga.

IX. Riscar o papel

Indica dificuldade de adaptação, fraco índice de controle.

D. NORMAS PARA INTERPRETAÇÃO DO DESENHO DA CASA

De forma abreviada, pode-se dizer que a casa desenhada assume, na maioria das vezes, duas significações:

a) Constitui um autorretrato, expressando as fantasias, o ego, a realidade, os contactos, a acessibilidade, a ênfase oral, anal ou fálica como elementos;

b) Expressa a percepção da situação no lar-residência, presente, desejada para o futuro, ou uma combinação de todas as três formas.

I. Teto

As observações indicaram que o teto pode se empregado, pelo indivíduo, para simbolizar a área ocupada na sua vida pela fantasia.

1) *Teto exageradamente grande e o resto da casa diminuído* – Imersão na fantasia e relativo retraimento do franco contacto interpessoal; problemas de imaturidade afetiva; ambição maior que a capacidade de realização; narcisismo, se combinado com os traços da figura humana.

2) *Ausência de teto* – Deforma o mundo ambiente, o sujeito está quebrando o contacto com o mundo exterior, mais notado entre os imbecis, indivíduos a quem falta a fantasia e entre as pesonalidades coarctadas e de orientação concreta, também suspeita de esquizofrenia.

3) *Teto ligeiramente afastado ou deslocado da parede* – Indica dificuldade de aprendizagem.

4) *Teto muito elaborado* – Compulsividade, enfrenta um problema.

5) *Teto um pouco solto* – Pessoas asmáticas (sofrendo de sufocação); disrítmicas.

6) *Teto terminado em pontas* – Simbolismo sexual.

7) *Tetos sombreados, buracos* – Debilidade, dificuldade de aprendizagem, ideias de fuga de ambiente; problema somático.

8) *Portas e janelas dentro do contorno do teto*, de maneira que resulta uma casa totalmente constituída pelo teto – Indicam, predominantemente, uma existência de fantasia. Encontrada entre os pacientes esquizofrênicos ou distintamente esquizoides

9) *Teto reforçado por forte pressão do traço*, ou por repetidas linhas superpostas no desenho do contorno (quando isto não ocorre nas outras partes da casa) – Sujeitos que estão tentando defender-se contra a ameaça de uma ruptura no controle da fantasia. Ocorre, mais frequentemente, nos desenhos de pré-psicóticos, embora também apareça, em menor escala, nos portadores de neurose de ansiedade. De qualquer maneira indica acentuada preocupação e temor de que aqueles impulsos, atualmente, descarregados na fantasia, se manifestem num comportamento aberto, ou distorçam a percepção da realidade.

II. Telha

1) *Telhas com muitos traços* – Inteligência inferior, problemas de gagueira, perturbação da palavra.

III. Paredes

Vem-se verificando que a força e a adequação das paredes da casa desenhada estão diretamente relacionadas com o grau de força do ego, na personalidade.

1) *Paredes desconjuntadas* – Têm ocorrido entre sujeitos com franca desintegração do ego.

2) *Contorno reforçado das paredes* – Frequentemente apresentado por psicóticos incipientes, que estão hipervigilantes e, muitas vezes, conscientes, para manter a integridade do ego.

3) *Contorno das paredes com traço fraco e inadequado* – Denota um sentimento de iminente crise da personalidade e fraco controle de ego sem, sequer, o emprego de defesas compensatórias. Os sujeitos que apresentam estes contornos defeituosos das paredes estão mais conformados com a sua patologia iminente (aceitam o mal como inevitável e cessam de lutar) do que os sujeitos que reforçam abertamente o contorno das paredes. Ao invés de tentarem livrar-se do estado patológico, adotam uma atitude passiva de submissão às forças desintegradoras que o ameaçam.

4) *Paredes transparentes* – Entre adultos, revelam comprometimento de senso de realidade, sendo verificadas entre deficientes de nível muito baixo; psicóticos crianças, frequentemente, desenham as paredes transparentes (permitindo a visão de objetos no interior da casa), mas com isso indicam a imaturidade de sua capacidade conceitual, usando de uma ingênua liberalidade na apresentação da realidade.

IV. Porta

A porta é o detalhe da casa através do qual é feito o contacto direto com o ambiente.

1) *Porta muito pequena, em relação às janelas, em particular, e à casa, em geral* – Reflete uma relutância em estabelecer contacto com o ambiente, com retraimento no intercâmbio pessoal. Timidez e receio nas relações com os outros. Sua instabilidade emocional para as inter-relações com os outros resulta em sofrimento e o sujeito mostra-se relutante em expor-se novamente.

2) *Porta bem acima da linha que representa o chão da casa, sem que apareçam degraus* – É outra forma revelada pelos sujeitos que tentam conservar inacessível sua personalidade. É comum naqueles que procuram estabelecer contacto com os que os cercam, unicamente segundo suas conveniências.

3) *Porta excessivamente grande* – Indivíduos muito dependentes dos outros.

4) *Porta aberta* – Raramente encontrada. Revela uma necessidade interna de receber calor emocional do exterior (se o inquérito posterior ao desenho estar a casa ocupada). Se o propósito declara que a casa está vazia, a porta aberta indica um sentimento de extrema vulnerabilidade, uma falta de adequação das defesas do Ego.

5) *Porta fechada* – Autodefesa, aspecto de regressão, defesa contra o mundo.

6) *Duas portas-ambivalência* – Está em casa, pensando noutra casa.

7) *Porta aberta e um caminho à vista* – Pessoa equilibrada, ou que procura novos caminhos.

V. Fechaduras ou dobradiças

Ênfase em fechaduras ou dobradiças demonstra sensibilidade defensiva, de tipo encontrado, com frequência, entre paranoides. Indica medo hiperdefensivo do perigo externo. Também pode significar problema sexual, desejo de contacto sexual.

VI. Janelas

As janelas representam um meio secundário de interação com o ambiente.

1) *Janelas completamente nuas, sem cortinas ou postigos, ou caixilhos* – Indicam indivíduos que se relacionam com os demais de forma demasiadamente rude e direta. O uso de tato é mínimo em seu comportamento.

2) *Reforço no contorno das janelas* – Se tal reforço não aparece em outras partes do desenho, indica com frequência sujeitos com fixações orais, ou traços orais de caráter. Ocasionalmente, porém, indica tendências anais.

3) *Janela junto ao teto* – Problema somático. Cerceamento. O indivíduo não tem por onde fugir. Dificuldade de contacto sexual (desenhado por adulto). Pode indicar uma situação de fato.

4) *Janela no lugar normal, simples, aberta, sem ênfase* – Equilíbrio.

5) *Janela com grades* – Indivíduo que se sente cercado. Desejo de proteção. Reação sobre seus próprios impulsos.

6) *Janela com vidraças* – Isolamento, desejo de proteção contra os impulsos ou estímulos exteriores. Pode ser uma barreira (deixa estar para ver como fica). Cerceamento.

7) *Janela fechada com trinco* – Autodefesa contra os estímulos exteriores. Insegurança. Situação de fato.

8) *Janela com persianas* – Dissimulação (vida através de cortinas). Problemas somáticos. Exibicionismo. Narcisismo.

9) *Distorção nas proporções das janelas* – É convencional que a janela do "living" seja maior e a do banheiro menor. Quando ocorrem desvios desta regra, é sinal de forte pressão de necessidades emocionais. Uma nítida aversão aos contactos sociais é indicada pela desvalorização da função do "living" no desenho, quando a janela deste é menor do que as outras.

Janelas de banheiro maiores do que as do resto da casa tendem a refletir experiências concernentes a severo treinamento de hábitos de higiene, no passado infantil do indivíduo. Também têm sido encontradas nos que sofrem de sentimento de culpa, por masturbação, e sintomas de lavar compulsivamente as mãos.

10) *Janelas da frente, em altura diferente das janelas do lado* (o que sugere que a altura do chão não é a mesma) – Refletem diretamente uma dificuldade de organização e forma, que pode, empiricamente, sugerir esquizofrenia precoce.

11) *Pessoa na janela* – Família bem equilibrada, harmoniosa. Ansiedade.

VII. Cortinas ou postigos ou persianas

1) *Postigos ou cortinas nas janelas e apresentadas como fechadas*. Denotam necessidade de retraimento e extrema relutância à interação com os outros.

2) *Postigos ou venezianas, ou cortinas colocadas nas janelas, mas total, ou parcialmente abertas* – Atitudes de interação controlada com o ambiente.

Sofrem certo grau de ansiedade, manifestada, entretanto, nas relações interpessoais. Assistentes sociais mostraram predileção por este sinal de controlado intercâmbio emocional com os outros.

VIII. Chaminé

É um símbolo fálico, que aparece com frequência nos desenhos de meninos, passando a assumir aspectos de caráter sexual, quando apresenta certas características especiais (por exemplo, se o menino desenha a casa com cortinas, flores, etc.).

1) *Chaminé decepada obliquamente, telhado mostrando-se através da chaminé* (chaminé transparente).

Indica os sentimentos de fraqueza do sujeito com relação a seu falo. Problemas de delinquência sexual.

2) *Chaminé tombando sobre a beira do telhado* – Indícios de delinquência sexual.

3) *Chaminé em duas dimensões numa casa representada a três dimensões* – Revela os sentimentos de delinquência sexual, no sentido de haver menor substância na parte fálica, que nas outras de sua imagem corporal.

4) *Várias chaminés na mesma casa* – Delinquente sexual, mascara seus sentimentos de inadequação fálica, sob uma capa de esforço viril compensatório, pelo desenho de várias chaminés.

5) *Chaminé alongada, de tamanho exagerado*; chaminé de forma fálica, com a extremidade arredondada; chaminé em que a fase é dada pela pressão de traço, por sombreamento, ou por colocação proeminente, como uma chaminé muito alongada que se eleva desde o chão, constituindo a face central do desenho inteiro – Traduzem os sentimentos de inadequação fálica de delinquentes sexuais.

Em indivíduos bem ajustados, a chaminé indica apenas um detalhe necessário na representação de uma casa. Entretanto, se o propósito sofre de conflitos psicossexuais, a chaminé – em virtude de seu papel estrutural e sua saliência em relação ao corpo da casa – é suscetível de receber a projeção dos sentimentos latentes do sujeito, acerca de seu próprio falo.

6) *Fumaça na chaminé, quando a fumaça aparecer em novelo* – Indica conflito.

7) *Quando a fumaça aparecer em negrito* – Problema mais grave.

8) *Fumaça acentuadamente dirigida para um lado, como sob o efeito de forte vento* – Reflete sentimento de pressão ambiental e, entre crianças, aparece frequentemente associada a dificuldades de leitura, em que há pressão maciça dos pais, quer como causa, quer como reação. Adolescentes que experimentam pressão indevida dos pais para sua adaptação social ou seu êxito nos estudos, ou uma e outra coisa, também têm feito uso desta forma de representar a fumaça, surgindo também entre indivíduos logo após ingressarem no serviço militar.

IX. Perspectiva da casa

1) *Casa desenhada como se fosse vista de cima* – Pessoas que, basicamente, rejeitaram a situação doméstica e os valores esposados. Exibem, compensatoriamente, sentimentos de superioridade, com uma revolta contra os valores tradionais, ensinados no lar. Atitudes iconoclastas acompanham-se de um sentimento de estar acima das exigências de convenção e conformação.

2) *Casa desenhada como se fosse vista de baixo* – Empregada por sujeitos que se sentem rejeitados e inferiores na situação doméstica. Sentimentos de desvalia misturam-se à autoestima e, ainda, sentimentos de inadequação à realidade do lar.

3) *Casa vista de longe, como se estivesse distante do observador* – É empregada por dois tipos de sujeitos:

a) Aqueles que projetam um autorretrato no desenho da casa, revelando seus sentimentos de retraimento e inacessibilidade;

b) Aqueles que revelam sua percepção da situação doméstica, mas que se sentem incapazes de enfrentá-la. Neste caso, revelam que consideram as boas relações com os de casa como coisa inatingível.

4) *Casa do tipo "perfil absoluto"* – "Perfil absoluto" significa que a casa foi desenhada apenas do lado apresentado ao observador. A frente da casa incluindo a porta, ou outra entrada, não é vista, o que implica em ser menos acessível. Indica sujeitos retraídos, em oposição, ou inacessíveis aos contactos interpessoais. Os paranoides evasivos também são propensos a buscar refúgio no desenho da casa em perfil absoluto.

5) *Casa desenhada por trás* – Se não há indicação da porta dos fundos, reflete as mesmas tendências ao retraimento e à oposição que a de tipo de "Perfil absoluto", mas com sentido patológico, em maiores proporções. Os únicos tipos de casa vista pelos fundos, que Hammer encontrou, foram de esquizofrênicos paranoides, mais frequentemente quando se achavam ainda em um estado pré-psicótico, em que a necessidade de se proteger, retraindo-se, é mais agudamente sentida.

X. Linha representativa do solo

A relação entre a casa, árvore ou pessoa desenhada e a linha do solo reflete o grau de contactos do sujeito com a realidade.

A mesma ligação simbólica entre o solo e a realidade prática evidencia-se, também, através da linguagem coloquial: "Ele tem os pés na terra".

O contacto firme, ou não, com o solo é da maior importância para o diagnóstico. Esquizofrênicos, latentes, ou fronteiriços têm, invariavelmente, dificuldade em apresentar em seus desenhos a indicação de firme contacto com a realidade (representada pela linha do solo). Apresentam, ou uma figura apoiando-se fragilmente sobre uma linha segmentada, ou irregular, ou sobre uma linha amorfa, com aspecto de nuvens, ou (no caso da árvore), como se fosse levantada acima de seu nível pela raiz.

Um desenho que paira, todo ele, acima da linha que representa o solo indica maior grau de patologia esquizofrênica e afastamento da realidade, com absorção pela fantasia.

XI. Acessórios do desenho da casa

1) *Casa com árvores, vegetais e outros detalhes* – Falta de segurança, tendo de cercar e proteger sua casa.

2) *Muito jardim* – Expressão sexual feminina, desejo e repressão.

3) *Casa desenhada com árvores, folhagens englobando* – Pode ser simbolismo sexual, desejo de realização sexual. Situação de fato.

4) *Casa com escadas* – Aspecto típico do gago.

5) *Florzinha, patinho* – Imaturidade afetiva. Pode ser ainda ambição, desejo de conquistar algo.

6) *Caminho bem-feito e proporcionado, conduzindo à porta* – Controle e tato no seu contacto com os outros.

7) *Caminho longo e sinuoso* – Ocorre entre aqueles que, inicialmente, se retraem, mas eventualmente se tornam cordiais e

estabelecem uma relação emocional com os outros. Demoram e se mostram cautelosos em fazer amizades, mas, quando a relação se desenvolve, tende a ser profunda.

8) *Caminho excessivamente largo na extremidade voltada para o observador e conduzindo em linha reta à porta, mas diminuindo acentuadamente de largura, de modo a ficar mais estreito que a porta ao alcançá-la* – Revela tentativa de encobrir um desejo de se manter afastado, empregando uma afabilidade superficial.

9) *Cercas desenhadas em torno da casa* – Representam um comportamento defensivo.

10) *Caminhos bifurcados* – Podem indicar indecisão, imaturidade afetiva. Situação de fato (por exemplo, escolha de um emprego traz indecisão).

11) *Casa com porta aberta e caminho à vista* – Pessoa equilibrada, que procura novos caminhos.

12) *Caminho pedregoso* – Pode indicar vida traumatizante, psíquica ou econômica. Situação de fato. Dificuldade de contacto com o mundo.

13) *Calçada reta na frente, ou caminho que acabe em montanha* – Falta de energia para vencer os problemas.

14) *Casa com sombra e água fresca, ou representando esta situação* – Situação de fato. Comodismo. Mecanismo de compensação.

15) *Casa com varanda* – Mecanismo de compensação. Problema de relação social.

16) *Torres na casa* – Isolamento, introversão.

17) *Torres cheias de janelas* – Excitação sexual.

18) *Elevadores* – Problema sexual. Fantasia de realização sexual.

19) *Desenhar uma choupana* – Desejo de isolamento, de descansar em paz, de romper com o mundo. Sentimento de perda de

situação, que pode ser amorosa, econômica ou social. Situação de fato. Romantismo – forma imatura de reagir aos estímulos ambientais.

20) *Casa ou apartamento com dois andares* – Cerceamento, depressão.

21) *Igreja* – Indica sublimação sexual, sublimação dos impulsos.

22) *Hospital* – Dissimulação de hipocondria. Situação de fato.

23) *Escola* – Mecanismo de compensação. Pedantismo. Simbolismo intelectual.

24) *Apartamento* – Situação de fato. Desejo de contato sexual.

E. NORMAS PARA INTERPRETAÇÃO DO DESENHO DA ÁRVORE

No desenho da árvore, tem sido verificado que o sujeito seleciona, em sua memória, dentre o número incontável das árvores que já viu, aquela com a qual tem a maior identificação empática e, ao desenhar, a modifica e a cria, novamente, segundo a reação cinestésica determinada pelos próprios sentimentos íntimos. Para os antropólogos, não é surpresa que a maneira de alguém "ver" uma árvore seja pessoalmente significativa. No mito e no folclore e, mesmo, no linguajar cotidiano, a árvore tem sempre simbolizado vida e crescimento.

No folclore germânico, diz-se que a Árvore tem suas raízes nas entranhas da terra, nas regiões inferiores do nosso passado primitivo, o tronco na terra, entre os mortais, e os ramos alcançando os céus, onde os deuses habitam e regem a humanidade.

Nos desenhos de árvore, verificou-se que o indivíduo omitirá os galhos se não se expande no trato com outras pessoas. Assim, ele se projeta durante o processo de desenhar a árvore, tornando-a um verdadeiro autorretrato.

Às vezes, é desenhada uma árvore sacudida pelo vento, ou quebrada pela tempestade – reflexo dos efeitos de pressões ambientais, suportadas pelo indivíduo.

A expressão inconsciente da própria imagem, através do desenho, ficou muito evidente no caso narrado por Hammer, em que uma senhora desenhou uma cesta sob a árvore, contendo quatro frutos. Tinha a mesma quatro filhos e o desenho representava, claramente, o orgulho íntimo que sentia pelo seu papel maternal.

Interpretação geral do desenho da árvore

Ao interpretar o desenho de uma árvore, pode-se julgá-lo como um todo, intuitivamente. Mesmo sem analisar os detalhes, pode-se ter uma impressão geral de harmonia ou de inquietação, de vazio, de nudez, ou de plenitude, ou ter uma impressão de hostilidade e prevenção.

Este constitui o primeiro estágio na aprendizagem do método de interpretação da árvore, e, para realizá-lo, é necessário sentir o efeito do desenho de grande número de árvores, e contemplá-los, olhar, simplesmente, para os mesmos, sem qualquer atitude crítica. Com vagar, olhando, tornando a olhar, vão sendo reconhecidas distinções, diferenciações, até que o observador começa a conhecer os autores do desenho. Alguns desenhos possibilitam um estudo adequado do caráter e outros constituem meras contribuições a um diagnóstico da personalidade.

Ao analisar a linha do desenvolvimento da árvore, da base ao topo, Koch, afirma que à medida que o desenho é executado, partindo das raízes e subindo, o sujeito revela, paralelamente, como sente o seu desenvolvimento no tempo, isto é, a história psicológica de sua vida. Refere que traços de experiências remotas tendem a ser representados na base do tronco e, os de ocorrência mais recente, no topo. Vêm corroborar com isto as experiências de Buck de que quanto mais baixa for a cicatriz, porventura desenhada no tronco da árvore, tanto mais cedo teve lugar a experiência traumática.

O exemplo mais expressivo da cicatriz que E. Hammer encontrou foi o caso de um menino de 12 anos. Ele desenhou uma ferida bem acentuada, aproximadamente à meia altura do corpo da árvore. O tratamento psicoterápico subsequente revelou que a morte de sua mãe, quando ele tinha cinco anos de idade, fora, inconscientemente, sentida como um abandono e o ferira profundamente.

A árvore, ser que vive em função de elementos ambientais (chuvas, vento, neve, tempestade, calor ou luz solar), é, dos três desenhos, o mais provável que revele a autoimagem da pessoa, no contexto de seu relacionamento com o ambiente.

J. Buck, ainda, acrescenta os seguintes comentários:

a) *o tronco* representa o sentimento de poder básico e força interior do sujeito (em terminologia psicanalítica, a "força do ego");

b) *a estrutura dos galhos* revela seu sentimento de capacidade para obter satisfação do ambiente (atingindo um nível mais inconsciente da mesma área que é atingida, no desenho da Pessoa, pela adequação de braços e pernas);

c) *a organização do desenho total* reflete como o sujeito se sente em relação a seu equilíbrio intrapessoal.

Há notável coincidência dos dois primeiros postulados de Buck, já referidos, com a experiência de Koch na Suíça: "O tronco, frequentemente, representa a área básica do autoconceito, a força do ego...

Presume-se que, quando se desenha uma árvore, o conhecimento da natureza essencial da madeira faz com que tudo o que se relaciona com a personalidade seja projetado ao tronco e nos galhos, mais claramente do que na folhagem. "Ele é de boa cepa" e expresões semelhantes são habitualmente usadas, quando se referem à natureza inerente à das pessoas.

Concordando com o segundo postulado de Buck, Koch observa: As partes externas da copa, as extremidades formam a zona de contacto com o ambiente, a zona de relacionamento e intercâmbio entre o que é interior e o que é exterior.

Em seguida, será analisada a significação dinâmica do tratamento diferencial atribuído pelo desenhista aos detalhes do desenho da árvore.

Interpretações específicas relativas às várias partes da árvore

I. Tronco

O tronco representa o sentimento de poder básico e força interior do sujeito, o que significa, em terminologia psicanalítica, a "Força do ego", como já foi referido anteriormente.

Buck também comenta que o tronco, frequentemente, representa a área básica do autoconceito, a força do ego.

1) *Tronco reto, bem-proporcionado* – Evolução normal da personalidade.

2) *Tronco com linhas tremidas, torto com nó* – Desenvolvimento físico e psíquico com traumatismo.

3) *Tronco solto no espaço, sem raiz, sem base, longe da linha de terra* – Falta de apoio. Desorientação. Sem firmeza. Flutuante. Insegurança.

4) *Tronco curto* – Pressão externa. Falta de expressão do eu.

5) *Base do tronco reta, ou na beira do papel* – Criancice. Infantilidade. Limitação do horizonte intelectual. Imaturidade. Retardamento ou regressão.

6) *Tronco alargado para a direita* – Timidez perante autoridade. Desconfiado. Zelo. Por vezes, orgulho e obstinação.

7) *Tronco alargado para a esquerda* – Retardamento. Inibição. Prisão ao passado. Viscosidade. Dependência materna.

8) *Tronco alargado para os dois lados* – Retardamento. Dificuldades de vida e de compreensão.

9) *Tronco de base alargada e que vai afinando até terminar em ponta, ou que não chega a terminar em ponta* – Imaturidade. Caráter primitivo. Vitalidade. Indiferenciação. Predomínio da vida instintiva. Tipo mais prático que teórico.

10) *Tronco de cor escura* – Em adulto, imaturidade, labilidade de humor, passividade, sem energia, quietude.

11) *Tronco em cone* – Senso prático. Caráter grosseiro. Simplório.

12) *Tronco com engrossamento e estreitamento* – Acanhamento. Retardamento. Estreiteza. Estagnação de afetos. Espasmodicidade.

13) *Tronco mais longo que a copa* – Predomínio da vida instintiva, inconsciente. Imaturo. Debilidade mental. Infantil. Inquietação motora. Vivacidade de fundo emocional. Normal entre crianças até jardim de infância. Em idade de escola primária a copa pode ser do tamanho do tronco. Entre meninas o tronco é um pouco mais longo que entre meninos.

14) *Copa mais longa que tronco* – Predomínio da esfera intelectual, espiritual. Tendência para o cômico. Capacidade de abstração. Idealismo. Arrogância e ardor. Fanatismo apaixonado. Ambição. Superficial.

15) *Equilíbrio entre o tamanho do tronco e da copa* – Pode ser encontrado entre débeis mentais.

16) *Reforço das linhas periféricas do tronco* – Reflete necessidade de manter intacta a personalidade, empregando defesas compensatórias para encobrir e combater o temor de desintegração da personalidade. Tenta proteger-se contra esta eventualidade, com todos os recursos disponíveis.

17) *Retoques no tronco e animais espiando para fora* – O sujeito sente que um segmento da personalidade está patologicamente sem controle (dissociado) e tende potencialmente à destruição (sentimento de culpa, por exemplo). Pode indicar que o sujeito se está identificando mais com o animal desenhado no tronco do que com a árvore, expressando seus anseios regressivos pelo isolamento, pelo calor, e proteção da existência intrauterina. É encontrado entre crianças obsessivas ou fóbicas (com tendência potencial à dissociação) e, ocasionalmente, entre adultos imaturos.

18) *Tronco reto, feito um poste* – Pessoa de controle muito rígido, mais de recursos manuais do que intelectuais. Símbolo fálico masculino.

19) *Tronco grosso e curto, com copa grande* – Ambição em todos os aspectos, mesmo nos da figura humana. Problemas somáticos.

20) *Tronco com curva para a esquerda* – Apego à mãe.

21) *Tronco com curva para a direita* – Desejo de expansão. Oposição a uma pessoa, por despeito.

22) *Tronco aberto na parte superior e na inferior* – Pessoas indecisas. Comportamento flutuante.

23) *Nódulos no tronco* – Situação traumatizante.

24) *Reforço das linhas de contorno* – Apoiando o conceito de que o tronco vale como um índice da força básica da personalidade, tem-se verificado que o reforço das linhas periféricas reflete a necessidade sentida pelo sujeito de manter intacta a personalidade. Emprega defesas compensatórias para encobrir e combater o temor de difusão e desintegração da personalidade.

25) *Contorno muito leve, ou falhado* – Sem que isso aconteça nas outras partes – revela, em grau mais adiantado, sentimentos de iminente colapso da personalidade, ou perda de identidade pessoal – estágio no qual as defesas compensatórias são consideradas sem qualquer esperança de impedir desintegração iminente. Revelam irritabilidade, explosividade, nervosismo e impaciência.

26) *Contorno irregular à esquerda* – Vulnerabilidade. Conflitos e dificuldades. Inibição. Adaptação difícil.

27) *Contorno irregular à direita* – Traumas psíquicos. Caráter difícil. Interesse por coisas más.

28) *Contorno ondulado em ambos os lados do tronco* – Vitalidade. Capacidade de adaptação. Aquele que vence dificuldades.

29) *Contorno em linhas difusas e interrompidas* – Sensibilidade. Empatia. Disposição à identificação. Caráter hesitante. Sentimento obscuro dos limites de sua personalidade.

30) *Saliências no contorno do tronco* – Traumatismos, doenças graves, acidentes, dificuldades profundamente sentidas pelo sujeito.

Superfície do tronco

É a zona de contacto entre o interior e o exterior – o meu e o teu, o eu e o mundo ambiente.

A qualidade do envoltório sugere diferenças existentes entre a atitude interior e a conduta exterior. Como um véu, tanto pode cobrir, proteger e inclusive disfarçar o verdadeiro ser.

A superfície pode ser: 1) Raiada, rugosa, áspera, cortada com:

a) *Traço pontiagudo, anguloso, esquadrado, reto, serrilhado* – Indica suscetibilidade, vulnerabilidade, mordaz, grosseiro. "Não tem papas na língua", obstinado, pungente, observador, sensibilidade, irascibilidade, violência, cólera, crítica, resmungador (Fig. 1)

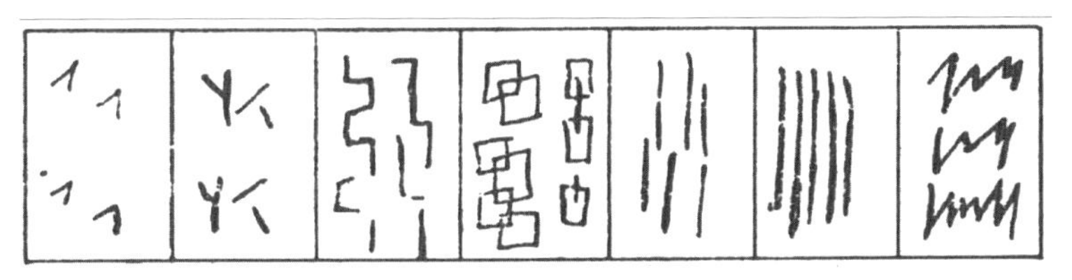

Fig. 1

b) *Traço curvo, arredondado, arqueado* – Facilidade e necessidade de fazer amizades, capacidade de adaptar-se, simpático (Fig. 2)

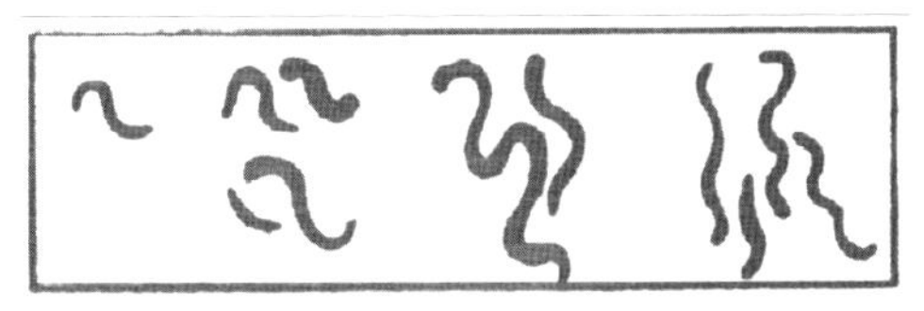

Fig. 3

2) *Superfície manchada* – Traumas (sofreu muito), falta de esclarecimento, masturbação (observada em casos isolados).

Muitas vezes a característica pode ser considerada como elemento decorativo (Fig. 3).

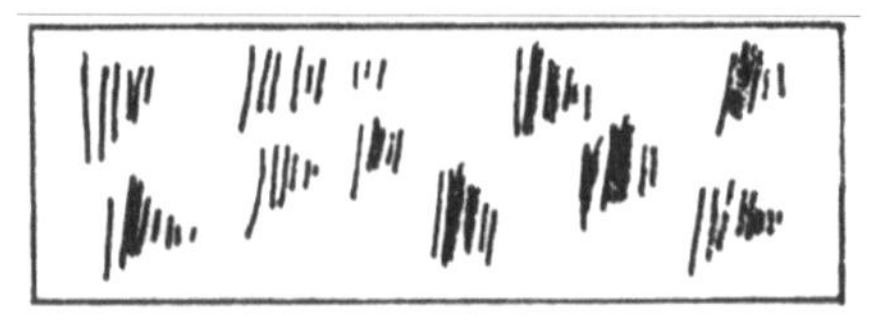

Fig. 3

3) *Superfície com sombreado à esquerda* – Levemente sonhador, leve tendência à introversão, suscetibilidade e vulnerabilidade moderadas, inibições, desgosto em expressar-se, se é forte – falta de mobilidade, rigidez, falta de agilidade, pedantismo.

4) *Sombreado à direita* – Capacidade para fazer amizades, disposto a adaptar-se.

Uma superfície áspera dá mais lugar a atritos, que outra lisa, sobre a qual tudo desliza. A relação é mútua: o áspero é mais fácil de fazer, porém adere melhor que o liso. A irritabilidade inerente à pessoa grosseira pressupõe uma impressionabilidade aumentada e, por outro lado, uma capacidade de observação bastante aguçada e crítica, que descobre, rapidamente, os pontos vulneráveis que dão lugar às divergências.

Relação entre largura e altura da copa da árvore

As pesquisas de Koch evidenciaram que a relação entre a largura e altura da copa, com pequenas oscilações, é em média de 10:7, isto é, a altura da copa é de 0,7, em relação à largura. Portanto, a característica permanece bastante uniforme.

A árvore normal

Desta maneira Koch conseguiu obter dados estatísticos básicos para a construção da árvore normal. Como resultado, organizou o seguinte quadro:

	Altura do tronco	Altura da copa	Idade
Crianças no Jardim de Infância	2 1,5	10	6-7 anos
Débeis mentais	12,5	10	8-17 anos
Alunos primários	10,4	10	8-15 anos
Alunos secundários	6,7	10	14-16 anos

Metade direita da copa: 1,13 vezes a metade esquerda.
Altura da copa: 0,7 vezes a largura.

A – Meninos de Jardim de Infância
B – Débeis mentais
C – Alunos do primário
D – Alunos do secundário

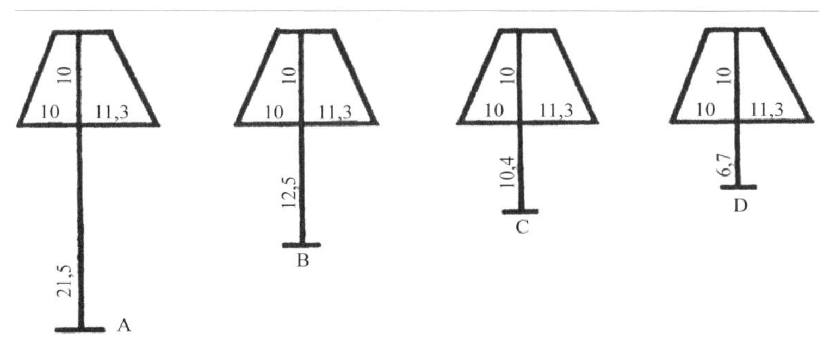

$$\frac{\text{Largura da copa}}{\text{Altura da copa}} \qquad \frac{10}{7}$$

Geralmente, o mesmo desenhista pode sombrear, às vezes à direita, mudando rapidamente. Sobretudo durante a puberdade, a característica é pouco constante.

II. Raiz

A raiz corresponde à parte inconsciente do eu, às forças impulsivas, instintivas e não elaboradas – ao Id da teoria freudiana.

1) *Raiz de traço duplo* – Domínio dos impulsos. Maturidade. Frequente entre pessoas normais.

2) *Linha de terra, debaixo da qual fica subentendida a raiz* – Também indica equilíbrio, maturidade.

3) *Raízes visíveis* – Indício de desenvolvimento incompleto. Imaturidade, mas não relacionada diretamente com nível intelectual. Primitivismo. Vida instintiva.

4) *Linha de terra bem escura, em negrito* – Ansiedade. Desejo de ocultar, disfarçar os conflitos íntimos.

5) *Raiz com um só traço* – Pessoa primitiva, cujos impulsos não são fiscalizados pelo consciente. Pouca independência arraigada à família.

6) *Raiz sombreada e com transparência, negrito e traços* – Dificuldade de enfrentar o meio.

7) *Raiz e linha de terra acima do nível da raiz* – Pessoas neuróticas, ou incapacidade intelectual.

8) *Raiz saindo da base do papel* – É normal até 10 anos. No adulto, está ligada à dificuldade de aprendizagem, ou caráter dependente. Insegurança. Sentimento de inadequação. Prende-se à base do papel como segurança compensatória. Indivíduos deprimidos também podem escolher a base inferior do papel para apoiar seu desenho.

9) *Sem raiz* – Pessoa autossuficiente, não precisa de apoio.

10) *Ênfase no desenho da raiz* – Pode indicar indevida preocupação com a sujeição à realidade. Já foram encontradas raízes em forma de garra, como se agarrassem ao solo fortemente, em pacientes que, logo após, entram em crise franca e foram internados. O desenho refletia o apego hipervigilante à realidade e o medo de perder o contacto com a mesma.

11) *Raiz vista através de solo transparente* – Falha na capacidade do sujeito de perceber a realidade. Se o sujeito tem inteligência média, ou acima da média, adolescente ou adulto, esta

percepção defeituosa da realidade deve servir para alertar o clínico sobre a possibilidade de um processo esquizofrênico.

12) *Raiz de tamanho desproporcionado* – Sinal de neurose.

III. Copa

1) *Copa esférica* – (Uma circunferência ou uma elipse fechada). Aparece mais frequentemente nos desenhos de meninos do que de meninas. Aparece mais aos 7 anos, diminui dos 9 aos 13 anos e aumenta depois até alcançar a frequência inicial. A percentagem dos débeis mentais difere pouco da dos normais, apenas não oscila, nem diminui tanto na puberdade, já que não sofre tantas alterações de desenvolvimento. Os operários egressos da escola caem abaixo do valor próprio da idade escolar, enquanto que os comerciários alcançam nada menos de 50%.

As copas consideradas como esféricas nunca podem estar vazias, ramos e folhas podem ficar pendentes ou, nos desenhos de mais jovens, as frutas.

Este tipo de copa pode indicar: Tendência ao fantástico, convencionalismo, falta de sentido construtivo, inclinações e aspirações não diferenciadas, presunção, falta de energia, puerilidade, ingenuidade, medo da vida real, falta de autenticidade, tipos emotivos, tipo bonachão e acomodado, impressionabilidade, falta de concentração (se a forma é concentrada, tensa).

2) *Copa envolvida por uma membrana* – Algumas copas não podem ser consideradas como genuinamente esféricas, nem como verdadeiras copas com ramos. A ramagem está coberta por uma membrana. Parece que deseja mais encobrir e fechar do que unificar, já que o interior da copa parece bem mais frouxo. Indica retraimento, opacidade, timidez, pusilanimidade, não encontrou a si próprio, às vezes falta sinceridade.

3) *Arcadas na copa* – Bons modos, obsequiosidade (Fig. 4).

4) *Copa encaracolada* – Contém um movimento curvado, livremente oscilante, mostrando fluência e velocidade, resultando em formas de laço, arco e arredondadas. Indica atividade,

mobilidade, intranquilidade, fadiga, industriosidade, comunicabilidade, loquacidade, cortesia, alegria, humor, entusiasmo, vigança, falta de perseverança, improvisação, ostentação, romantismo, valorização do aspecto externo, talento descritivo, bom gosto, afetação, pedantismo, confusão, exagero, malabarismo, vaidade, superficialidade, capricho, despreocupação (Figs. 4 e 5).

Fig. 4 Fig. 5

5) *Copa achatada na parte superior* – Inibição, forte pressão do ambiente, obediência, resignação, sentimento de inferioridade.

6) *Copa aumentada para o lado direito* – Extroversão, autossuficiência, dedicação, afeição, empreendimento, muda muito de objetivos, arrogância, vaidade.

7) *Copa aumentada para o lado esquerdo* – Introversão, falta de desejo de progredir, ligação ao passado, fixação materna, tendência ao autismo, timidez, má vontade, teimosia, quietude.

8) *Copa pequena* – Até aos 9 ou 10 anos, é normal; além dessa idade indica infantilidade, imaturidade, regressão neurótica (Fig. 6).

9) *Copa grande* – Fantasia, vaidade, narcisismo, entusiasmo, exibição (Fig. 7).

10) *Copa justaposta ao tronco, sem continuidade* – Falta de desenvolvimento normal do tronco até a copa; há uma interrupção, um traço entre copa e tronco. As energias não fluem nor-

malmente do tronco para os ramos – Indica discordância entre capacidade e ação, entre querer e fazer; esquematismo, falta de lógica, visão curta e infantil, inadaptabilidade. É normal em crianças pequenas; depois dos 7 ou 8 anos pode revelar neurose infantil, ou retardamento mental (Fig. 8).

Fig. 6 Fig. 7 Fig. 8

Fig. 9 Fig. 10 Fig. 11

Fig. 12 Fig. 13 Fig. 14

11) *Copa de linhas curvas* – Doçura, imaginação, compreensão afetiva.

12) *Copa curva em espiral* – Elasticidade na comunicação e adaptação; mobilidade, demasiada conversão; bom gosto, delicadeza.

13) *Copa dividida em fragmentos, ou pedaços* – Diferenciação, riqueza interior; os ramos se envolvem para evitar o choque: ocultamento dos propósitos, proteção de si mesmo (Fig. 9).

14) *Copa em forma de raios ou varas* – É a forma oposta à anterior, os ramos se estendem, rígidos, em todas as direções: agressão, atrevimento; exigência, teimosia. Multiplicação de interesses, agitação. Superficialidade, distração (Fig. 10).

15) *Copa feita com linha em serra, com dentes* – Nervosismo, irritabilidade. A maior acentuação do ângulo dará o significado respectivo (Fig. 11).

16) *Copa feita por um conjunto mais ou menos discordante de linhas* – Atividade, agitação, ânsia de viver. Capricho, espontaneidade. Inconsequência, improvisação, ambivalência, desorientação (Fig. 11).

17) *Copa sombreada* – Impressionabilidade, empatia, indeterminação, irresolução, confusão, irrealidade. Neutralidade, passividade, suavidade (Fig. 12).

18) *Copa aberta* – Algo incompleto, solução que falta, indecisão, indeterminação; eventualmente, tendência à investigação, à iniciativa (Fig. 13).

19) *Copa em ponta* – Crítica, agressividade (Figs. 10, 13, 14).

20) *Copa em ramificações delgadas* – Sensibilidade, impertinência, suscetibilidade.

21) *Copa em linhas simples* – (monolinear): Normal na infância e, depois, pelo menos, débil falta de maturidade intelectual ou afetiva (neurose) (Fig. 14).

22) *Copa em estratos ou árvore de espaldeira* – É a árvore produto da forma que o jardineiro quis dar. Pressupõe um grau

muito insignificante de personalidade e originalidade, porque resultou de amestramento. Indica domesticação, correção forçada, tendência à sistematização e à técnica, rigidez de personalidade (Fig. 15). Sem autenticidade, mecanização, disciplina de autômato, tradicionalismo, vontade de autoeducação, superficialidade; aluno modelo e cidadão modelo, sem originalidade.

23) *Copas cortadas* – Desenvolvimento detido, impedido; inibição, sentimento de inferioridade, teimosia, resistência; timidez (Fig. 16).

24) *Copa centrípeta* – Ramos e arcos enfeixam o centro, como cascas de cebola. Indica autocentralização, narcisismo, autossuficiência, pouca extroversão. Concentração, reduzida comunicabilidade e sociabilidade. Eventualmente: harmonia, plenitude interior, firmeza, decisão (Fig. 17).

25) *Copa centrífuga* – Ramos orientados do centro para fora. Implica num significado duplo: agressivo e receptivo. Isto vale especialmente para a copa radial, ramos em raio. Quando o ramo não é duplo a agressividade não é tão forte. Indica agressão, atividade, iniciativa, extroversão. Às vezes, fadiga e confusão íntima de forças (Figs. 10 e 18).

26) *Copa pendendo aos lados do tronco* – Cansaço, depressão, falta de energia, passividade, indecisão, apatia (Figs. 12 e 14).

27) *Parte da copa omitida* – Seja porque os ramos estão cortados, seja porque parece que foi tirado um pedaço da copa, formando espaços vazios. A sensação de falta de alguma coisa vai indicar sentimento de inferioridade, como também que está escondendo algo. Os espaços vazios também podem aparecer em árvores frondosas sob a forma de manchas brancas, no sombreado da copa (Fig. 19).

28) *Copa apresentando um conjunto equilibrado, sem tender para o lado direito, ou esquerdo* – Calma interior, equilíbrio, repouso, pose, artificialidade (Fig. 18).

29) *Copa com formas contraditórias:*

a) *Com ramos em direções opostas* – Contradição, inconsequência, desadaptação, teimosia, desorientação (Fig. 16).

b) *Com ramos que se cruzam* – Oposição, crítica, ambivalência, luta entre afetividade e controle e os significados do item a (Fig. 16);

c) *Com ramos interrompidos em sua interseção* (principalmente em linhas curvas) – Concessão, consideração, delicadeza, faz favores a outrem. Quando em linhas retas, corresponde ao item b (Fig. 20).

30) *Copa com galhos que continuam grossos até à extremidade* – Debilidade, inibição, contradição, violência. Primitivismo, rendimento, quantitativo, imposição (Fig. 13).

31) *Copa com galhos muito curvos* – Reserva, artificialismo, domesticação, inibição de afetos, obsessão neurótica, detenção, angústia, inadaptação (Fig. 20).

32) *Copa em excesso* – Impressionabilidade, instabilidade, falta de concentração, fantasia, agitação (Figs. 7, 13, 10).

33) *Copas com ramos ascendentes* (às vezes, como se fossem línguas de fogo) – Entusiasmo, atividade, fanatismo, fantasia, imaginação criadora com execução de outrem.

34) *Copas com ramos descendentes* – Cansaço, frustração, depressão, falta de energia, passividade, indecisão, inibição, tendência a se expandir com agressividade.

35) *Copa com ramos descendentes do lado esquerdo e ascendentes do lado direito* – Exterioriza um entusiasmo maior do que sente interiormente; esforço de superação do abatimento, depressão ou fadiga (Figs. 9 e 10).

36) *Linha separando a copa do tronco* – Indica dificuldade; neurose quase sempre.

IV. Flores

1) *Flor bem localizada* – Situação de fato.

2) árvore *cheia de flores* – Imaturidade. Primavera eterna.

3) *Copa só contornada sem recheio* – Vazio de alma, porque o espaço da copa é o campo de expressão do indivíduo.

V. Galhos ou ramos

Representam os recursos subjetivos do indivíduo para buscar satisfação no ambiente, para aproximar-se dos outros, para se expandir e, deste modo, realizar-se. Representam os membros da árvore, que equivalem, no autoconceito do indivíduo, aos braços no desenho da pessoa.

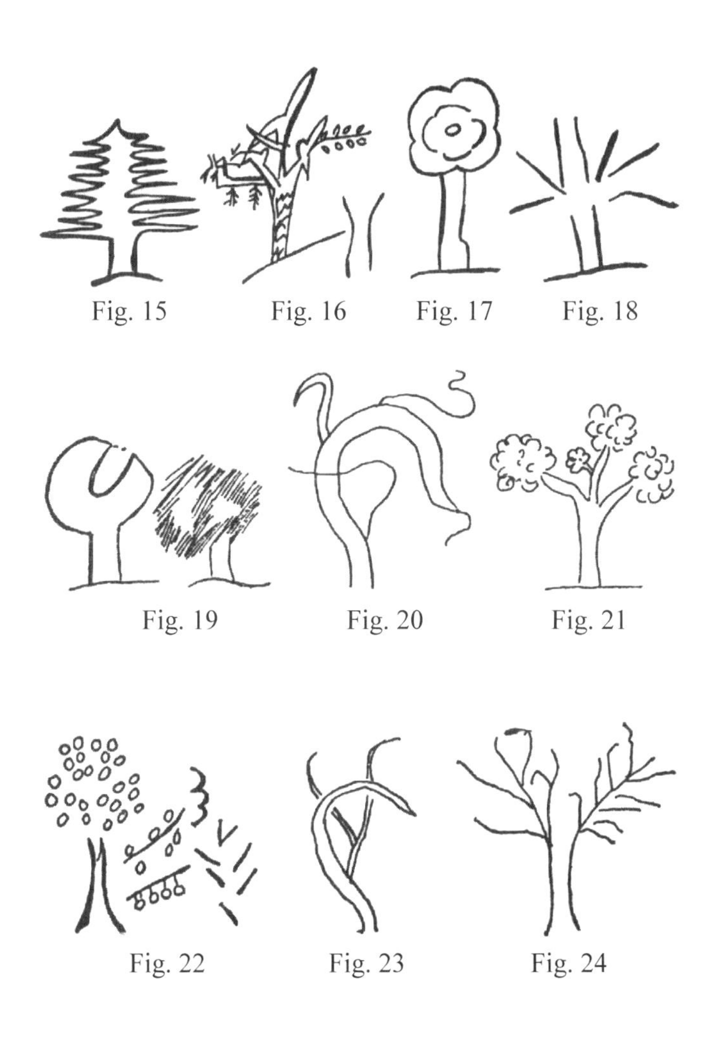

Fig. 15 Fig. 16 Fig. 17 Fig. 18

Fig. 19 Fig. 20 Fig. 21

Fig. 22 Fig. 23 Fig. 24

Ocasionalmente, o sujeito poderá tentar mascarar com otimismo superficial e compensatório seus sentimentos mais profundos de incapacidade para obter satisfação. Poderá, por exemplo, desenhar a pessoa com longos braços abertos a se estender do corpo, como num esforço varonil, contudo sua árvore mostrará pelos seus ramos truncados e quebrados que, basicamente, ele não sente nenhuma esperança real de sucesso.

1) *Extremidades dos ramos envolvidos por ramagens semelhantes a chumaços de algodão* – Atenua suas intenções, não expressando agressividade. Timidez diante da realidade. Agradável nas relações. Cheio de atenções. Impenetrável às vezes. Diplomata, discreto (Fig. 21).

2) *Arranjo dos ramos* – a) *Com harmonia* – Serenidade, gosto, calmo, apoiado, em si, insensibilidade, ausência de tensões.

b) *Desarmonia* – Excitabilidade, inquietude, impressionabilidade, extrovertido.

c) *Coordenação sem significação* – Vagabundagem, irreflexão, errante, insaciável, "laissez-faire".

d) *Formas repetidas, ligamentos sucessivos* – Estereotipia, sem significar entre as crianças pobreza de expressão de sentimentos. Essa estereotipia significa perturbação na evolução do indivíduo e não regularidade obtida pela disciplina. Colecionadores. Maturidade inigual. Usadas como brincadeira, distração. Falta de senso de realidade. Regressão, retardamento. Esquematismo. Pouca capacidade de adaptação (Fig. 22).

3) *Ramos em forma de palmas* – Tendência a fechamento. Prudente. Confiante.

4) *Galhos finos e pequenos* – Avarento.

5) *Galhos frondosos e vivos* – Humor alegre.

6) *Galhos muito longos, sem direção certa* – (de forma curva para preencher espaço vazio) – Tendência a fugir ao que é estabelecido, a sonhar. Indisciplina. Regressão, medo, excitação. Retardamento.

7) *Galhos formando ângulos entre si* – Imaturidade, primitivismo, esquematismo.

8) *Tendência dos galhos a curvarem-se* – Desconfiança, cautela.

9) *Galhos em traços simples e não duplos* – Imaturidade. Aparece muito entre imbecis e pessoas idosas. Sentimento de impotência e ausência do Ego. Desenvolvimento afetivo inferior. Frequente entre as crianças.

10) *Preenchimento do espaço da copa com galhos, frutos ao acaso* (enchendo o espaço ao longo do tronco, chegando ao solo e galhos abaixo e isolados) – Imaturidade e regressão. Retardamento (parte da personalidade não se desenvolveu, não é problema inato).

11) *Galhos abertos com traços em sentidos opostos, galhos opostos, galhos cruzados* (de esquerda para direita, principalmente) – Ambivalência afetiva ou volitiva.

12) *Galhos muito longos, arqueados e sinuosos* – Descuido, falta de controle, redução da capacidade intelectual. Reserva, tímido em afetos. Neurose compulsiva. Convulsão, medo.

13) *Ramos finos nas pontas* – Elevada sensibilidade. Impressionabilidade. Elevada reatividade. Crítica. Agressividade. Taciturno. Impenetrável.

14) *Galhos secos, pontudos* – Agressividade, sadismo.

15) *Galhos expandindo-se serpentes e copa em forma de bandeira esvoaçante, ou rolo de fumaça* – Decréscimo da eficiência intelectual. Dispersão. Preocupação com o menos importante. Tendência à fantasia. Falta de adaptabilidade. Falta de discernimento. Incapacidade para agir. Perturba-se facilmente (Fig. 23).

16) *Galhos altos e finos,* projetando-se demasiadamente para cima e pouquíssimo para os lados – Indivíduos temerosos de buscar satisfação no ambiente e que, em consequência, se compensam na fantasia (elevando-se para o alto da página), como

gratificação substantiva. São desenhos mais comuns entre sujeitos que se situam na faixa introversão-esquizoidia.

17) *Galhos estendendo-se tanto lateralmente, para o ambiente exterior, real, bem como para cima, para a área da fantasia* – Equilíbrio nos esforços em busca de autossatisfação.

18) *Galhos para o alto, a ponto de fazer o topo da árvore ultrapassar o limite superior da página* – Exemplo extremo de sujeito que se excede na fantasia. Enquanto os introvertidos e esquizoides tendem a exagerar a direção dos galhos para o alto, somente os que se aproximam, francamente, do extremo do processo esquizoide estendem os ramos além do topo da página.

19) *Flexibilidade na estrutura dos galhos,* primeiro mais grossos e mais próximos, depois mais finos e afastados – Sinal favorável e denota sentimento de alta capacidade por parte dos sujeitos de obter satisfação de seu ambiente (contanto, naturalmente, que esta estrutura seja de tamanho adequado, em relação ao tronco).

20) *Ramos semelhantes a bastões, ou a lanças pontiagudas, ou que apresentam espécies de ganchos como o dos anzóis, ao longo de sua superfície* – Presença de íntimos impulsos de hostilidade e agressão. Se o quadro comportamental indica que o indivíduo não está exteriorizando estes impulsos, mas ao contrário parece calmo, podemos estar seguros de que este ajustamento superficial é obtido às expensas de esforços de repressão, com simultâneas tensões interiores de consideráveis proporções. Nestes casos, será interessante investigar nos desenhos, indicações de falta de controle, para avaliar a probabilidade de incipiente e catastrófica descarga destes impulsos. Se os sinais de controle são enfatizados demais, podem por si mesmos ser considerados como indicadores de iminente extravasão dos impulsos, em comportamento aberto, já que o potencial defensivo do indivíduo pode estar a pique de exaurir-se.

21) *Galhos em duas dimensões, abertos nas extremidade*s – Sentimento de pouco controle sobre a expressão dos próprios impulsos.

22) *Tronco de árvore truncado e dele saindo galhos diminutos* – O núcleo da personalidade se está sentindo lesado. Tem sido encontrado entre crianças, refletindo crescimento emocional bloqueado, mas com ensaios hesitantes e débeis de esforços por retomar o crescimento, estimulado pela terapia.

23) *Galhos que se voltam para dentro* (para a própria árvore, ao invés de se dirigirem para fora, para o ambiente) – Egocentrismo e fortes tendências introversivas, ruminadoras. Até agora, este tipo de desenho só tem sido visto em obsessivos compulsivos.

24) *Estrutura superdesenvolvida dos galhos, num tronco raquítico* – Demasiada ênfase na busca de prazer, dúvida acerca de seus sentimentos essenciais de valor e importância.

25) *Galhos pequenos, copa raquítica, sobre um tronco muito grande* – Frustração devido à inabilidade de satisfazer forte necessidade básica.

26) *Galhos representados, dirigindo-se para o sol, como num apelo* – Ocorre em desenhos de crianças com acentuadas e frustradas necessidades de afeição. A árvore estende os braços ansiosos em busca do calor de uma figura representativa de autoridade (neste caso, expressa pelo sol), da qual o indivíduo está carente.

27) *Galhos e copa inclinada sob um sol grande e baixo, pesando sobre a árvore* – Criança, ou um sujeito intimidado pela dominação de uma figura parental, ou outra que exerça autoridade e o faz sentir-se dolorosamente controlado, subjugado e perturbado.

28) *Galhos secundários, desenhados como se fossem aspectos e*ncravados no corpo dos ramos primários; sua extremidade mais fina, ao invés de ser a externa, é a que está em contacto com o tronco da árvore, ou com o ramo de que derivam. Esses pequenos galhos mais parecem enterrar-se nos galhos maiores, que deles provêm – Tendência masoquista. Hammer narra o caso de uma senhora que reclamava do número de vezes que chamara o bombeiro para consertar o esgoto de sua cozinha. "Se

eu tiver de chamar mais uma vez... (e o autor esperava que a frase terminasse com alguma expressão de raiva extrapunitivamente) baterei com o rolo na cabeça do bombeiro...", "eu arrancarei os meus cabelos". A direção intrapunitiva de sua descarga agressiva foi coerente com a orientação masoquista revelada no desenho dos galhos com espetos encravados nos próprios ramos ou troncos.

VI. Folhas

1) *Folhas na copa, ou nos ramos* – As folhas são o traje da primavera – Vivacidade, preocupação com a aparência, leviandade, primitivismo, ostentação, ingenuidade. Dotes decorativos.

2) *Folhas que caem* – Afrouxamento, sensibilidade, distração, esquecimento, alheamento.

3) *Folhas ao longo dos galhos* – Idem do item 1, mais tendências à ordem e sistematização. A máscara, quando muito acentuada, cai na estereotipia.

VII. Frutos

Indicam o desejo de maturação, de compreender os problemas da vida.

Entre crianças até 9 ou 10 anos é normal o desenho muito grande de frutos, na copa.

1) *Frutos* – Indicam produto, utilidade, rendimento da árvore. *Na infância e adolescência:* gosto pelo resultado imediato, desejo de triunfar. Sentido de observação e apresentação. Impaciência, oportunismo. *Entre adultos:* fixação na infância ou adolescência. Oportunista. Improvisador. Influenciável. Desejo de mostrar sua capacidade. Desejo de ver resultados imediatos. Necessidade de estima.

2) *Frutos que caem* (ver folhas) – Sacrifício, renúncia, abdicação, frustração. Sentimento de morte, de perda.

VIII. Outros acessórios

1) *Ninhos* – Desejo de proteção, imaturidade, dependência.

2) *Enfeites, adornos* – Indivíduo de bom humor. Crítica no sentido mais leve, pessoas irreverentes. Enfrentam os problemas brincando.

3) *Paisagem mais evidente que a própria árvore* – Desejo de fuga.

4) *Árvore cercada* – Insegurança.

5) *Árvore localizada em uma colina* – Vida mais espiritual.

6) *Olhos na árvore* – Sentimento de culpa e perseguição.

7) *Serpente envolvendo a árvore* – Proteção contra tendências sexuais. Indício de perigo e atitude defensiva ante a regressão da libido.

8) *Sol* – Símbolo paterno, masculinidade, sentimento libidinoso.

9) *Árvores dentro de potes, vasos* – São encontrados entre crianças com distúrbios sexuais. O traço peludo também pode indicar problema sexual, sensualidade.

IX. Impressão de conjunto da árvore

1) *Árvore recurvada, voltando à terra, batida pelo vento, desenhada muito baixa no papel* – Indício de regressão. Preso ao passado. Inversão dos instintos. Pressão do ambiente. Coação. Falta de apoio. Batido pelas vicissitudes. Impelido pelas circunstâncias.

2) *Árvore inclinada para a direita* – Impulsividade. Arrebatamento. Dedicação. Influenciável, não resiste à tentação. Disposto ao sacrifício, boa vontade, desapego ao passado, renovador.

3) *Árvore inclinada para a esquerda* – Necessidade de proteção. Cuidadoso. Má vontade. Adaptação. Sensação de pressão. Ligação ao passado. Teimosia. Comodismo. Freado, retraído.

4) *Folhas, frutas, galhos, flores caídas ou caindo* – Falta de atenção, sacrifício. Sensibilidade, sentimentos finos. Mimosida-

de. Leve separação entre sentimentos e pensamentos. Falta de firmeza. Impulso a dar, prodigalidade. Fugacidade, esquecimento.

5) *Árvore ereta, vertical* – Sentimentos próprios, maturidade. Inteligência. Espiritualidade. Imaginoso. Presunçoso, altivo, altaneiro. Ambivalente. Pose. Superestimação de si mesmo.

6) *Claro-escuro, escurecimento de todo o desenho com espaços claros, sombreado em torno* – Depressão. Regressão. Ansiedade. Humor vacilante. Passividade. Desorientação. Influenciabilidade. Incerteza. Indecisão. Sem energia. Por vezes, indício de imaturidade.

7) *Árvore grande* – Tendência à expansão.

8) *Árvore pequena* – Desencorajamento. Regressão. Controle.

9) *Árvore do tipo "buraco de fechadura"* – A representação do tronco e folhagens, como por uma linha contínua, sem divisão entre a copa e o tronco, é assim chamada devido à sua semelhança com um buraco de fechadura. Realmente, apresenta-se um espaço em branco, fechado e vazio que, como as respostas de espaço, no Rorschach, é peculiar aos indivíduos em oposição e negativistas.

10) *Árvore "rachada"* – Este nome vem do fato de que as linhas laterais que formam o tronco não apresentam quaisquer traços que as ligam uma à outra; elas se estendem para cima, cada uma com os seus galhos, formando uma estrutura independente. A impressão é de uma árvore fendida, verticalmente, ao meio, parecendo duas árvores unidimensionais, lado a lado. Isto sugere uma divisão da personalidade, dissociação dos componentes primordiais da personalidade, uma reestrutura de defesas e o perigo de impulsos interiores que estravasem para o ambiente. Se há algum sinal no HTP (Teste de Casa-Árvore-Pessoa) que possa ser considerado como indicativo de esquizofrenia, este é um (Fig. 24).

11) *Desenho de "chorões"* – Geralmente encontrado entre indivíduos deprimidos.

12) *Árvores frutíferas* – Muito encontradas entre mulheres grávidas. As crianças (35% de jardim de infância e 9% até 10

anos de idade) até cerca de 14 anos identificam-se com a fruta da árvore, representa a figura materna. Crianças com sentimento de rejeição representam a fruta caindo da árvore, ou já caída ao solo.

13) *Árvore sobre a qual paira uma ave de rapina* – Sentido de condenação.

14) *Árvore sob a qual urina um cão* – Indica sentimento de completa autodesvalia, autoestima baixa ao extremo, senso de degradação.

15) *Árvore em que um homem ameaça destruí-la a golpes de machado* – O homem é identificado com a figura paterna. Indica um terrificante sentimento de iminente mutilação física.

X. Idade atribuída à árvore

As implicações de sentimentos de imaturidade que aparecem em desenhos de adultos, que representam uma plantinha tenra, em vez de uma árvore amplamente desenvolvida, são claras. Entretanto, para obter um índice mais acurado do nível de desenvolvimento expresso pela árvore desenhada, quando o propósito acaba o desenho, pergunta-se-lhe a *Idade da Árvore*, que seu desenho representa. A idade indicada está relacionada com o nível de maturidade psicossexual do sujeito. Isto foi confirmado pelos estudos de E. Hammer, com imaturos sexuais, que estão fixados, ou regrediram a um nível infantil – nível em que as exigências sexuais se expressam pelas ações de mutuamente ver, tocar e manipular. Estas práticas constituem toda a atividade sexual da esmagadora maioria dos pedófilos, como são chamados os que praticam ofensas sexuais contra crianças. Devido à sua imaturidade, quando as necessidades sexuais do pedófilo reclamam satisfação, ele a busca em objetos imaturos, aproximadamente da idade, que ele próprio se sente psicossexualmente adaptado.

Comparando os desenhos de pedófilos com desenhos de delinquentes sexuais, acusados de sedução de mulher adulta, Hammer verificou que a idade média atribuída por estes últimos à sua árvore desenhada foi de 24 anos, enquando que a idade média atribuída pelos pedófilos foi de 10 anos, confirmando a hipótese de que a idade atribuída à árvore constitui índice de imaturidade psicossexual.

XI. Árvore apresentada como morta

Uma das perguntas do inquérito que se segue ao desenho destina-se a apurar os sentimentos do sujeito acerca de estar sua árvore viva ou morta.

Tem-se verificado que os que respondem à pergunta "Esta árvore está viva?" dizendo que está morta, estão, significativamente, desajustados. Esta resposta é mais frequente entre os retraídos, esquizofrênicos, deprimidos e severamente neurotizados, que renunciaram à esperança de jamais conseguir um ajustamento razoável. Daí, sua ocorrência valer como prognóstico de sentimento de inutilidade.

Em outros estudos de delinquentes sexuais, Hammer verificou uma progressão crescente dos sedutores de adultos aos pedófilos heterossexuais e destes aos pedófilos homossexuais, com relação ao número dos que viram suas árvores como mortas, paralelamente à distância crescente de um objeto sexual apropriado.

Por outro lado, estes dados paralelos tendem a ratificar a observação de que as pessoas mais doentes, psicologicamente, veem suas árvores como mortas e, por outro lado, tendem a descrever os pedófilos homossexuais, que se desviam da norma, tanto com relação à idade, quanto a sexo do parceiro escolhido, como o subgrupo mais doente dos delinquentes sexuais estudados. Uma distância crescente de um objeto sexual apropriado acompanha um aumento na probabilidade de séria psicopatologia. A ocorrência de árvores mortas no HTP é confirmada como um índice de patologia séria.

No inquérito que se segue ao desenho, se a árvore é apresentada como morta, interessa-nos descobrir se a morte é percebida como decorrente de causa externa ou interna. Se é dito que a morte da árvore foi motivada por coisas tais como parasitas, ventos, raios, etc., o paciente julga alguma coisa do meio exterior como responsável por suas dificuldades e, usualmente, sofre agudos sentimentos de traumatização. Se diz que a morte foi causada por alguma coisa interna, tais como apodrecimento da raiz, do tronco ou dos galhos, o indivíduo encara a si mesmo como doentio e inaceitável.

Em geral, Hammer encontrou patologia e culpa muito mais intensas naqueles que percebem a árvore como tendo apodrecido por si mesma do que nos que viam a árvore como morta por agentes internos.

Em igualdade de condições, o prognóstico é, geralmente, melhor, quando o dano é atribuído a agentes externos. Se a árvore é percebida como morta, pergunta-se ao sujeito há quanto tempo ela pode ter morrido. Tem-se observado que o tempo dito como transcorrido desde a morte da árvore pode servir como indicativo da relativa duração dos sentimentos do sujeito, de desajustamento, inabilidade, ou forte sentimento de futilidade e de perda de esperança, conforme seja o caso.

Uma advertência para a interpretação

Apenas pelo desenho da árvore nem sempre é possível ficar certo de qual das possíveis interpretações é a correta, no caso individual. Algumas significações, naturalmente, são sempre corretas em uma formulação geral; outras, ao contrário, devem ser consideradas provisoriamente, como indicações para a descoberta da significação mais exata, num exame completo, abrangendo resultados de inquérito, observação, testes, etc.

F. NORMAS PARA INTERPRETAÇÃO DE ASPECTOS GERAIS DO DESENHO DA FIGURA HUMANA

I. Proporção entre os desenhos feitos

1) A proporção entre as figuras humanas desenhadas pode basear-se na idade de cada um. Nesse caso, trata-se de minuciosidade e desejo de perfeição.

2) A proporção simboliza o valor que o propósito atribui à figura desenhada. Se a mãe é desenhada em tamanho maior do que os outros membros da família, ela é tomada como figura dominante, ou a figura que dá mais atenção ao propósito. Pode, também, representar um ideal – o ideal de que a mãe seja a figura desejada.

Uma figura de um irmão maior do que o pai: sentimento de ciúme.

Quando a figura é menor: é sinal de uma compensação, rebeldia, sentimento de menos valia.

II. Posição da figura desenhada

1) *Figura de frente* – Quando a figura é do próprio sexo do propósito, significa aceitação de seu próprio sexo. Resolução da fase edipiana. Aceita o mundo de frente.

2) *Desenho de perfil* – Pode ser uma dissimulação, ou um desajuste, ou incapacidade de enfrentar o meio. Indiferença ao meio. Deficiência afetiva.

3) *Corpo de frente e rosto de perfil* – Caráter não bem ajustado em seus propósitos. Falta de aprendizado, de técnica.

4) *Negrito* – Conflito no desenho.

5) *Desenho de costas* – Dissimulação dos impulsos culposos e inconfessáveis. Pode ser caso de ambivalência sexual. Uma esquizotimia.

6) *Figura de pé* – Significa força, energia, adaptação.

7) *Figura sentada ou agachada* – Inibição, submissão, debilidade física, fraca energia para responder aos estímulos externos. Facilidade no campo sexual. ideias suicidas.

8) *Deitado* – Patológico. Pode revelar uma situação de fato, como, por exemplo, o propósito tem uma pessoa doente na família.

9) *Figura inclinada* – Solta no espaço. Instabilidade psíquica ou somática. Desvio de controle visomotor. Disritmia cere-

bral. Problema de perturbação mental, tumor cerebral, etc. Sofre de enxaquecas.

10) *Aparecem órgãos sexuais* – Comum em *crianças de Escola Primária do Rio de Janeiro*, devido a uma situação de fato – promiscuidade no lar, entre os favelados: Pode ser verificada até os 7 anos (autoafirmação, descoberta do sexo). No adulto – Quando há representação do sexo, pode ser um problema grave no terreno sexual.

Pode ser uma fantasia de masculinidade.

III. Transparência nas figuras

É natural até 5-6 anos, além dessa idade a figura é desenhada sem transparência.

Quando aparecem elementos sexuais através da roupa, irá demonstrar curiosidade sexual. Também pode tratar-se de uma criança retardada e fonteiriça.

Transparência no adulto – É uma resposta a uma prática sexual culposa.

IV. Figuras cabalísticas

Onde aparece geometrismo, estereotipia, trata-se de problemas sexuais ou personalidade esquizoide. Nesses casos, a figura humana é desenhada de forma que não existe na realidade.

V. Figuras grotescas

Insensibilidade, baixo nível mental.

VI. Figura não inteira

1) *Só a cabeça* – Censura ao seu próprio corpo. Problema de grande censura sexual.

2) *Cabeça exagerada* – Debilidade mental. Pode ser caso de pessoas que tenham doentes na família. Pode ser narcisismo ou valorização exagerada da própria inteligência.

3) *Tamanho reduzido* – Menos-valia, sentimento de inferioridade. Pouca inteligência.

4) *Desenho só do busto* – Censura à área genital.

5) *Partes omissas* – Faltando um braço, ou uma perna, etc., aparece em débeis mentais, problema somático, neurose. Pode ser censura relacionada à parte omitida. Aparece também entre psicóticos e imaturos, que não querem tomar conhecimento dos problemas do mundo.

VII. Sucessão das partes desenhadas

1) *Começo pela cabeça* – É o mais comum. Indica a aceitação do desenvolvimento humano.

2) *Começo pelo pescoço* – Elemento de ligação entre as forças afetivas e os impulsos controladores do corpo. Indica pessoa que vive sob controle. Pessoa que se policia. Policia os desejos do corpo.

3) *Começo pelo cabelo* – Problema de virilidade, sexualidade.

4) *Começo pelo rosto* – Função social – No rosto estão todos os elementos de inter-relação social. Pessoas que têm preocupação em agradar. Necessidade de inter-relação com as pessoas.

5) *Desenvolvimento bilateral* – Relaciona-se a pessoas que procuram dissimular.

6) *Começo pelos ombros* – Pessoas com ambição, desejo de autoafirmação, dificuldades gástricas. Fantasia de força, de poder (no caso de ombros largos).

7) *Começo pelos braços* – Indivíduo ambicioso por meios econômicos, por compreensão e por afeto. Conforme a posição dos braços, verifica-se se o indivíduo está fantasiando as ambições. Sentimento de culpa, se estão retocados. Desejo de inter-relação. Necessiade de aquisição de bens. Pessoas que gostariam de ter boa vida social, mas que não o fazem devido suas condições financeiras, etc. (Verificar se a ambição é positiva ou negativa).

8) *Começo pelas mãos* – Pessoa muito avara, ou muito ambiciosa, ou muita pobreza. Pode ser um alto sentimento de culpa; uma frustração; ou uma situação de fato.

9) *Começo pelas pernas* – Indica desejo de mudanças – Física, profissão, estudo ou uma fantasia (como nada tem, começa por onde ele quer).

10) *Começo pelo pé* – O mesmo da perna. Em geral, indica um problema sexual.

11) *Cabeça desenhada em último lugar* – Sugere a possibilidade de sério distúrbio mental.

12) *Começo pelos pés, com dedos* – Indica pessoa de afetividade primitiva, de sensualidade instintiva, sem controle, e de grande agressividade.

G. NORMAS PARA INTERPRETAÇÃO ESPECÍFICA DE CADA PARTE DA FIGURA HUMANA DESENHADA

I. Cabeça

É a parte do corpo onde se localiza o eu. Há, portanto, ênfase no desenho da cabeça, exceção dos neuróticos, deprimidos ou desadaptados socialmente. A maior parte do autoconceito do indivíduo está focalizado na cabeça.

A cabeça é considerada como o centro do poder intelectual, social e do controle dos impulsos corporais.

1) *Cabeça grande, em relação ao tamanho do corpo* – Ambição, aspirações intelectuais, introspecção, fuga à fantasia.

2) *Cabeça exagerada* – Narcisismo, egocentrismo, exibicionismo. Fantasia maior do que a capacidade de realização. Sentimento de menos-valia. Crítica do mundo para o indivíduo. Debilidade mental, problemas somáticos (dores de cabeça, por exemplo). Escasso sentido espacial, com base em defeito intelectual.

3) *Cabeça pequena em relação ao corpo* – Sentido de menos-valia, preocupação, crítica.

4) *Cabeça redonda, circular e pequena* – Pode ser um caso de paranoide.

5) *Cabeça geométrica, triangular, quadrada* – Problema psicótico.

6) *Cabeça desenhada com muita clareza*, em contraste com o corpo vagamente esquematizado – Pode indicar que o sujeito recorre, habilmente, à fantasia, como um estratagema compensatório, ou pode ter sentimentos de inferioridade, ou vergonha relacionada às funções e partes de seu corpo.

II. Rosto

1) *Cabelo, olho, nariz, com ausência de contorno facial* – Pode referir-se a problema psicótico. Toda vez que um indivíduo deixa o humano, trata-se de um problema psicótico. Dificuldade em ter contacto com o estímulo exterior.

2) *O desenho do rosto sem olhos, nariz, boca* – Pode indicar ausência de relação com o meio. Fuga às respostas, aos estímulos exteriores. Imaturidade para não se comunicar com ninguém.

3) *Contorno reforçado* – Dificuldade de inter-relação social. Restrição à figura projetada. A cabeça pode estar bem marcada e o rosto delineado. São, em geral, pessoas fugidias – diante de problemas fogem. Insegurança, com capacidade de vencê-los.

III. Olhos

1) *Olhos* – Podem ser representados *apenas com um traço* – Isto pode revelar: autismo, introversão, não aceitação do meio. Pessoa que fecha os olhos para não ver. Imaturidade afetiva.

2) *Omissão dos olhos* – Imaturidade afetiva – psicossocial. Egocentrismo. Pode ser dissimulação de uma atitude imatura para responder a um estímulo exterior. Pode ser um problema patológico.

3) *Olhos representados por um ponto* – Podem ser meio imaturo de enfrentar a vida. Aspecto regressivo na maturidade afetiva.

4) *Olhos vazios sem pupila* – Egocentrismo – Recusa enfrentar a realidade. Podem ter aspecto de agressividade. Podem ter uma significação particular do propósito com o fato (sadismo). O mundo está fechado para ele, ou percebido muito vagamente, com pequena discriminação e detalhes.

5) *Olhos lumuriosos, bem trabalhados* – Desenhados por elemento feminino – Aspirações lamuriosas. Atitude geral. Agressividade. Em meninas, ideia de se afirmarem sexualmente, chamar atenção. Em pessoas de maior idade, pode estar ligada ao problema da masturbação. Por um rapaz, problema de sexualidade inadaptada. Desenho de homossexual ou ambivalência.

6) *Olhos fechados* – Podem indicar imaturidade para enfrentar problemas. Autismo. Pessoa querendo fugir ao meio. Pode ser uma situação de fato. A pessoa não quer enfrentar o problema e fecha os olhos ao mesmo.

7) *Olhos oblíquos para baixo* – Depressão – Debilidade consciente. Fraco controle diante do meio em que vive.

8) *Olhos satânicos, para cima* – *Na mulher* – Desejo de contacto sexual – Masturbação. Narcisismo – Desejo de afirmação no grupo.

No homem – Ambivalência sexual.

9) *Olhos em negrito* – Inter-relação social. Conflito, agressividade. Satisfação furtiva. Recusa total do meio.

10) *Retoque nos olhos* – Pode ser um problema somático ou psíquico.

IV. Sobrancelhas e pestanas

1) *Sobrancelhas e pestanas* – O traço da pestana com o traço dos olhos em linha reta – personalidade forte, decidida e teimosa. Regressão da evolução afetiva (fase anal), autoritarismo.

2) *Sobrancelhas levantadas* – Livre expressão, arrogância, desdém ou dúvida. O paranoico dá muita ênfase aos olhos.

3) *Sobrancelhas em traços finos* – Fina sensibilidade.

4) *Peluda e farta* – Sensualidade primitiva.

V. Cabelos

1) *Cabelos desordenados* – Imoralidade sexual.

2) *Na mulher (cabelos em cascata)* – Indivíduo mais *desinibido*. Se move bem no ambiente. Podem significar reação às formas negativas, se apresentadas nos outros testes. Imaturidade psicossocial.

3) *Cabelos de mulher agarrados à cabeça (lisos)* – É comum nas *solteironas*, segundo MacHover.

4) *Cabelos desenhados com cuidado (bem delineado)* – Significam uma pessoa de bom equilíbrio psicossexual, bom nível mental.

5) *Cabelo muito acertado* – Pessoas moralistas, que *se policiam*. Pode ser, ainda, um exibicionismo ou narcisismo.

Ênfase em preencher o espaço envolvido, ou no vigor do sombreado. Virilidade sexual.

6) *Cabelo em escova* – Reação agressiva a algo que o indivíduo não aceitou dentro do grupo.

7) *Cabelo trançado* – Sujeição – Policiamento dos impulsos sexuais, dos próprios impulsos.

8) *Rapaz que dá à fêmea penteado desordenado e ao rapaz muita ordem* – Desordem sexual, imaturidade sexual, narcisista e hostil à fêmea. Ênfase no cabelo, sobre o peito com uma barba – Indicação de pujança viril.

9) *Cabelo ondulado, em formas de cachos*, quando se combina com outros enfeites chamativos, feito por meninas, é encontrado entre adolescentes e meninas delinquentes sexuais, ou desejos de chamar a atenção. Meninas sexualmente precoces.

10) *Quando o cabelo serve para tampar o rosto* – Dissimulação de problemas.

11) *Quando coberto pelo chapéu* – Dissimulação sexual.

12) *Costeletas* – Aspecto fálico – pode responder a uma fantasia do poder sexual.

13) *Sombra vigorosa do cabelo, com limites mal delineados* – Conflito de virilidade, surgindo em conduta sexualmente desviada.

14) *Cabeleira rala* – Sentimento de perda da virilidade. Jovens que estejam com a sexualidade definida.

15) *Rapaz desenhando mulher com cabelo bem delineado e homem com chapéu incongruente* – Caráter regressivo ou esquizoide. Sexualidade infantil, com vivas fantasias viris. Está aumentando sua impotência com o chapéu.

16) *Cabelo grudado em caracol* – Repressão sexual. Conceitos morais errados, etc.

17) *Carecas* – Sentimento de debilidade, de impotência. À medida que o cabelo diminui maior o problema ou o temor de ficar careca.

18) *Testa grande* – Desejo de afirmação da inteligência. Situação de fato. Problema somático.

19) *Franja* Cobertura de problema sexual ou corporal (por exemplo, testa grande – é comum usar franja). Dependência da vitalidade sexual e distinção social, do que de sucesso intelectual. Quando o propósito desenha a figura masculina e feminina deve-se comparar uma a outra. No caso do sexo masculino, desenhar as figuras com retoques, etc., apresentará problema (repressão à figura feminina).

VI. Bigode e barba

1) *Bigode e barba* – Raramente aparece em desenho de adolescentes e adultos. Só aparece em esquizoides, ou esquizofrênicos.

2) *Bigode e barba bem-feitos* – Virilidade evidente. Quando o indivíduo de sexo masculino desenha o sexo feminino com os caracteres acima, verifica-se um caso de ambivalência sexual, confusão sexual, conflito com a figura materna autoritária.

VII. Óculos

Colocar óculos – Necessidade inconsciente. Problema somático. Aspecto de ambição. Resposta de cobertura. Dissimulação da dificuldade em enfrentar o mundo.

VIII. Nariz

Essencialmente, possuidor de simbolismo sexual.

Preocupação com o nariz, indica culpabilidade causada por masturbação.

1) *Omissão do nariz* – Relacionada a um temor de castração – mesmo quando desenhado, ou omitido por mulher.

2) *Nariz grande* – Virilidade. Sexo em grande escala. Desenhado por homem, pode ser mecanismo de compensação – homens frios.

3) *Nariz grande, em homem velho* – Impotência. Se o desenho apresentar nariz na mulher e no homem não – representa a figura feminina fálica, dominadora.

4) *Nariz curto, pequeno* – Temor de castração. Consciência de debilidade sexual.

5) *Nariz com deformações* – Pode ser uma situação de fato. Sentimento de menos-valia. Projeção da figura de um indivíduo da família. Desvio sexual.

6) *Nariz com retoque* – Indivíduo com problema de punição: auto ou heteropunição (por sua conduta sexual desviante).

7) *Nariz desenhado com um corte ou sombra* (vertical) – Indecisão ou inadequação sexual, que também podem ser indicadas por uma braguilha grande nas calças, ou gravata. Indica, também, temores de castração, dúvida, indulgência autoerótica.

8) *Nariz visto de frente* – Sombreado, reforçado ou omitido – Conflito sexual. Imaturidade. Complexo de inferioridade. Homossexualismo.

9) *Nariz chato* – Primitivismo intelectual, sexual.

10) *Nariz afilado* – Práticas agressivas sexuais. Quanto maior a diminuição, maior o problema de castração.

11) *Representação das narinas* – Fantasia no campo sexual.

12) *Narinas com asas bem acentuadas* – Aspecto de forte sexualidade. Agressividade. Indício de força, teimosia, comando, impulsividade. Desenhadas em negrito, o problema se agrava.

13) *Narina acentuadamente retocada* – Fantasia do exposto no item anterior.

14) *Nariz arrebitado* – Realização sexual. Mecanismo de compensação na mulher. Uma situação de fato ou problema sexual.

IX. Boca

Refere-se às tendências captativas, como nutrição, satisfação da libido oral, relações sociais – dar e receber afeição e, mesmo, relações sexuais.

1) *Boca grande* – Relaciona-se a uma ambição: desejo de inter-relação social; necessidade física. Diz-se daquele que "Vive para comer". Ambicioso. Pode ser um problema psicossocial neutro. Conduta sexual desviante. Acessos de mau humor.

2) *Boca com um traço só, reto* – Introversão, ou por deficiência, ou por rejeição do ambiente.

3) *Boca côncova e aliada a grande número de botões* – Dependência, sintomas gástricos.

4) *Boca redonda, ou oval, com lábios grossos* – Agressividade oral. Pode ser conduta sexual desviante.

5) *Boca em linha simples, de perfil, exprimindo grande tensão* – Erotismo oral, em suas disposições sexuais.

6) *Boca de palhaço* – Em pessoa psiquicamente imatura, procura simpatia forçada.

7) *Boca em arco de cupido* – Expressões lamuriosas. Em menina, sexualidade precoce.

8) *Boca projetada, bicuda* – Trata-se de personalidade muito primitiva. Age instintivamente. Agride verbalmente. Pode exibir desejo de autoafirmação. Falar agredindo.

9) *Dentes na boca* – Agressividade oral.

10) *Cachimbo, palito na boca* – São símbolos de conduta ou traços sexuais.

11) *Negrito na boca* – Agressão oral. Problemas de fato. Inter-relação social e sexual.

12) *Negrito no lábio inferior* – Pessoa que responde à expressão.

13) *Língua* – Dificilmente aparece, só em esquizoide, esquizofrênico, ou desvio de conduta sexual; pode ser um problema de fato.

14) *Lábios* – Acompanham a forma da boca (semelhante à boca).

15) *Dentes* – A partir dos 7 anos, raramente aparece em normais. Comumente aparece em psicopatas, em indivíduos disrítmicos, epiléticos, pessoas imaturas afetivamente. Situação de fato, ou problema somático. Pode ser uma forte agressividade.

X. Orelhas

Sem aparecimento, no desenho, indica passividade, como traço de personalidade do propósito.

1) *Omissão* – É comum.

2) *Ênfase na orelha* – Resistência à autoridade.

3) *Orelhas muito grandes* – Sensibilidade à crítica e desejo de aprovação social. Esquizofrenia. Reações paranoides. Conflitos homossexuais.

4) *Orelhas pontiagudas* – Situação de fato. Complexo de inferioridade. Sexualidade primitiva.

XI. Queixo

1) *Queixo* – Pouco estudado. É um símbolo sexual. Afirmação social, teimosia, firmeza, decisão (queixo quadrado).

2) *Prega nasolabial* (em adulto e criança) – Desejo de afirmação.

3) *Queixo fugidio* – Pessoa com dificuldades sexuais, pessoa fugidia.

4) *Queixo redondo* – Traço de feminilidade.

XII. Pescoço

Constitui uma zona de conflito entre o controle emocional e os impulsos corporais.

Quando encontrado nos desenhos normais, não há nada a se notar.

1) *Omissão* – Aponta um caso perigoso. Dificuldade maior de controle entre os aspectos intelectuais e os impulsos do corpo. Simbolismo – castração. Inferioridade. Regressão. Dificuldade de coordenação dos impulsos.

2) *Pescoço curto e grosso* – Poder físico (como o de atleta). Pode relacionar-se às forças institivas. Mecanismo de compensação.

3) *Protuberância redonda na garganta* – Ilusão simbólica de castração. No histérico, suicídio ligado ao pescoço. Uma linha horizontal, ou um colar separando o pescoço da cabeça – dificuldade intelectual de controlar os impulsos vitais, a expressão própria, conforme as exigências sociais.

Para o homem – É o tórax.

Para a mulher – Da cintura para baixo.

4) *Pescoço fino e comprido* – Mecanismo de compensação. Pessoa de controle rígido. Moralismo. Enfeites no pescoço – separa o corpo (impulsos vitais) da cabeça (controle intelectual racional).

5) *Pescoço reto, negrito, uso de borracha, etc.* – Indica conflito. Não conformação com o contorno corporal, problema somático (asfixia, laringite, voz estridente).

6) *Ênfase no desenho do pescoço* – Perturbação por falta de coordenação de seus impulsos e controle intelectual, certa consciência da bifurcação de sua personalidade. Conflitos decorrentes da força do superego.

7) *Enfeites no pescoço* – Separação do corpo (impulsos físicos) da cabeça, mantendo-se graças a controle intelectual racional.

XIII. Ombros

1) *Exagerados ou representação apagada* – Fantasia psicossexual. Temor à debilidade sexual. Mecanismo de compensação. Autocrítica. Impulso de poder físico.

2) *Geométrico, em linha reta* – Débeis mentais e imaturidade psíquica.

3) *Ombros estreitos em relação ao corpo* – Depressão, sentimento de menos-valia, problema somático.

4) *Ombros arredondados* – Se todos os outros traços comprovarem, poderá ser: homossexualidade, inter-relação sexual, confusão sexual.

5) *Músculos (masculino)* – Acentuação do mamilo – Compensação – Desejo de força. Poderá ser ambivalência sexual. Projeção do próprio eu – Virilidade reprimida.

XIV. Costelas

1) *Costelas* – Sua representação no desenho é rara. Dá-se no caso de esquizofrenia e indica problema grave.

XV. Braços

1) *Braços e mãos* – Relacionam-se ao desenvolvimento do eu e à sua adaptação social, ou inter-reação com o ambiente. A extensão, direção e influência das linhas dos braços relacionam-se com o grau e espontaneidade da pessoa no ambiente.

1) *Braços desenhados* – Inter-relação com o ambiente.

2) *Omissão dos braços* – É frequente no caso de rompimento com o mundo exterior (caso dos psicóticos).

Pessoas com quebra da palavra. Pessoas eróticas. Oposição ao grupo. Sentimento de menos-valia. Mecanismo de compensação. Esquizofrênicos e disrítmicos.

Ocasionalmente, os braços podem ser omitidos na figura fêmea, desenhada por rapazes, rejeitados pelas mães.

3) *Braços rígidos, apertados ao corpo* – Pessoa esquizoide. Fuga do indivíduo ao meio. Desejo de superar o problema.

4) *Para trás* – Falta de confiança. Insegurança de sua participação no meio ambiente. Em conflito por pressões narcisistas.

5) *Afastados da área genital* – Sentimento de culpa, podendo ser por masturbação.

6) *Braços em movimento com o outro, junto ao corpo* – Tentativa de vencer a dificuldade frente ao meio.

7) *Braços em horizontal e de forma mecânica em ângulo reto com a linha do corpo* – Aparecem, geralmente, em desenhos simples e regressivos, refletindo contacto superficial e não afetivo.

8) *Um braço para cima e outro para baixo* – Fantasia.

9) *Os braços para cima (rígidos)* – Fantasia, no sentido de ambição – Sentimento de culpa.

10) *Braços em negrito* – Conflito – Aspecto somático – Dificuldade de contacto com o mundo interior. Sentimento de menos-valia.

11) *Braços muito longos* – Ambição por alguma aquisição ou proeza, dependendo de outros traços.

12) *Braços finos* – Indício de introversão. Não reage aos impulsos interiores, debilidade física ou psíquica.

13) *Braços mais largos que todo o corpo* – Dificuldades de inter-relação. Fantasia, ambição maior que a capacidade de realização.

14) *Com articulação* – Preocupação hipocôndrica.

15) *Amputação* – Sentimento de castração (qualquer dos braços).

XVI. Mãos

1) *Mãos (ausência)* – Enquadra-se no caso de ausência de braços – Falta de confiança nos contactos sociais, na produtividade, ou em ambos.

2) *Mãos no bolso* – Personalidade delinquente. Pessoas dadas ao furto. Sentimento de menos-valia. Crítica do grupo ou autocrítica. Punição. Masturbação ou valentia, como se acariciasse uma pistola.

3) *Mão maior em relação às outras partes do corpo* – Ambição em todos os sentidos. Sentimento de menos-valia. Problema somático.

4) *Contornos imprecisos da mão* – Indicam a mesma coisa que a ausência de mãos.

5) *Mãos fechadas* – Pessoa usurária (em todos os sentidos). Dificilmente nas relações sociais, repressão, agressividade, fantasia dessa agressividade.

6) *Mão em bolacha* – Com problemas de agressividade.

7) *Mão diminuída* – Sentimento de culpa, relacionando-se à masturbação, sentimento de menos-valia, cerceamento e agressividade reprimida.

8) *Mão em garfo* – Disritimia, psicóticos, imaturidade, débeis mentais.

9) *Mão grande* – Em rapazes, indica fortaleza, compensação por debilidade. Reação contra uso indevido das mãos.

10) *Mão em perfil* – Grande índice de inteligência.

11) *Mão aberta* – Necessidade de afeto e inter-relação.

12) *Mãos atrás* – Evasão. Observadas entre meninas que desejam atrair e roem unhas.

13) *Mãos cruzadas na zona central* – Preocupação com prática autoerótica.

XVII. Dedos

1) *Em alfinete* – Agressividade.

2) *Quando retocados, apagados* – Personalidade reprimida, agressividade reprimida, impulsividade.

3) *Dedos em maior número do que o normal* – Quando não estão relacionados com debilidade mental, pode ser um problema psíquico, esquizofrenia, imaturidade psíquica.

4) *Dedos sem preponderância da mão* – Indício de agressão infantil. Geralmente, dedos em uma só linha, com grande pressão e combinados com outros traços agressivos.

5) *Dedo polegar maior que os outros dedos, retocados ou apagados, em negrito* – Simbolismo sexual. Práticas desviantes. Problema somático. Mecanismo de compensação.

6) *Dedos longos, finos* – Situação de fato. Sentimento de menos-valia. Desejo de afirmação. Mecanismo de compensação. Poderá ser de pessoa de grande equilíbrio (fidalguia).

7) *Dedos delineados, vagos* – Sentimento de culpa, sentimento de menos-valia.

8) *Dedos grossos e curtos* – Baixo nível mental. Objetivismo. Cerceamento, agressividade reprimida. Dificuldade de inter-relação. Situação de fato.

9) *Articulação dos dedos* – Mais ou menos relacionado com reação instintiva, sendo mais instintiva do que intelectual.

XVIII. Unhas

1) *Unhas longas* (desenhadas por homem, em figura de homem) – Pontiagudas: Ambivalência. Confusão sexual. Sentimento de menos-valia. Situação de fato.

XIX. Anéis nos dedos

1) *Desenhados por homem* (fazer associação) – Se o homem é casado e desenha a aliança em negrito, indica conflito.

2) *Anéis vistosos* (desenhados por homem) – Sinal de ambivalência, confusão sexual. Afirmação econômica, social.

3) *Desenhados por uma mulher* – Afirmação no campo social, narcisismo, etc.

XX. Cintura

1) *Cintura* – Um elemento que marca a parte do tórax com a cintura genital, controladora dos impulsos sexuais e corporais.

2) *Traço marcando a cintura* – Poderá ser uma preocupação ou policiamento ao impulso do corpo.

3) *Cinto com fivela* – Estamos frente a um controle narcisista.

XXI. Pernas

Pernas e pés são fontes de conflitos e dificuldades. A recusa em completar o desenho, além da cintura, ou usar poucas linhas para completá-lo indica perturbação sexual.

1) *Pernas juntas* (paralelas e unidas) – se combinam com braços baixos, juntos ao corpo – Introversão, isolamento, aspecto somático, problema sexual, sentimento de culpa, dificuldade de caráter social.

2) *Pernas separadas* – Debilidade. Problema somático.

3) *Pernas longas* – Debilidade mental ou problema de compensação. Pode ser necessidade autoafirmação social, locomoção, ambição, fuga do meio ambiente, desajuste ao ambiente.

4) *Pernas grossas e longas* – Desejo de contacto, fuga, sem possibilidade de realizar a ambição desejada.

5) *Pernas curtas* – Situação de fato ou problema somático. Em negrito: conflito.

6) *Pernas em sinal de movimento* – Frente ao desajuste, entre a fantasia e a capacidade de realização. Fantasia de reação. Psicopatia.

7) *Pernas arqueadas* – Situação de fato, está em desajuste.

8) *Recusa em desenhar a zona de bifurcação das pernas* (de frente), traçando uma linha no meio, para dar impressão de calças e os contornos externos das pernas – Imaturidade psicossexual, nos rapazes.

9) *Pernas borradas, reforçadas ou com mudanças de linhas* (desenhadas por fêmea) – Indicam conflito sexual, porque, na mulher, as pernas têm significado sexual específico, são a melhor parte do corpo.

10) *Figura feminina hostil, com pernas torcidas e com aparência masculina, desenhadas por rapaz que desenhou um belo varão* – Narcisismo e imaturidade psicossexual.

XXII. Pés

Indicam a segurança geral do indivíduo, em caminhar no meio ambiente.

1) *Representação* – Locomoção, inter-relação, função social, aspecto sexual.

2) *Calcanhar muito acentuado* – Problema sexual.

3) *Dedos nos pés* – Quando aparecem em uma figura vestida, indicam agressividade, quase de natureza patológica.

4) *Pés, calcanhar e dedos* – Agressividade sexual. Símbolo de castração.

5) *Omissão dos pés ou pernas* – Cerceamento, dificuldade de contacto. Situação de fato. Sentimento de menos-valia.

6) *Pés para dentro* – Ambivalência no comportamento.

7) *Pés, um para um lado e outro para o outro lado* – Indecisão, ambivalência de comportamento, atitudes pessoais. Várias tentativas. Censura à figura humana, à figura projetada: dissimulação de conflito, oposição.

XXIII. Tronco

1) *Arredondado* – Indica agressividade.

2) *Caixa quadrada com ângulos* – Indica maior agressividade.

3) Omissão do tronco – Normal em crianças de pouca idade. Entre adultos, aparece em doentes com complicações de caráter evolutivo e escleróticas, embora omitam o tronco na figura masculina e sombreiem-no, na figura feminina.

4) *Tronco desenhado por duas linhas paralelas, ininterruptas, da cabeça aos pés, formando uma caixa* – É encontrado entre indivíduos regressivos, primitivos ou desorganizados.

5) *Parte inferior do tronco, não fechada* – Indício de de preocupação sexual.

6) *Corpo na figura do próprio sexo do desenhista* – Indica descontentamento com o corpo que possui. Também pode indicar compensão pela gordura, ou debilidade física, ou temor de engordar. Ainda pode ter associado gordura com indivíduo em estado adulto, manifestando resistência em tornar-se adulto.

7) *Tronco bem longo* – Pode indicar compensação por sua altura, abaixo do normal.

XXIV. Roupas

A roupa teria surgido por necessidade de proteção, pudor e socialização. A indumentária nasceu da harmonia desses três aspectos e tem seu aspecto social.

Antes de desenhar, o indivíduo pode vacilar quanto à escolha da roupa, e deve ser anotada esta vacilação, para ser considerada na interpretação geral das tendências observadas.

1) *Transparência, nas calças, na saia* – Debilidade mental. Imaturidade psicossexual, exibicionismo, nascisismo.

2) *Paletó ou blusa, botões numerosos, sombreados, furos para os botões* – Dependência feminina, gerando conflito.

3) *Se desenha com os detalhes do item 2 e, ainda, com bolsos* – Maior o conflito, maior a dependência. Volta à etapa anterior.

4) *Botões no punho da camisa* – Associa-se com o que está escrito acima. Elemento psicótico.

5) *Botões no paletó e lapela* – Maior afirmação de dependência, ambivalência sexual.

6) *Lenço no bolso, em linha reta* – Facilidade sexual.

7) *Lenço no bolso, em ponta* – Fantasia de virilidade.

8) *Desenhado por homem, com transparência ou contorno dos seios* – Sentimento de culpa, apego à figura materna.

9) *Sombreado nos seios* – Aspecto de cobertura sexual. Problema somático.

XXV. Colarinho

1) *Pode estar relacionado a aspecto sexual* – Pode ser problema sexual. Pode ser uma compensação (pescoço longo).

2) *Colarinho muito grande ou muito estreito* – Compensação por sentimento de inferioridade. Dificuldade sexual, dificuldade somática.

3) *Decote, desenhado por homem, em mulher, acentuadamente com efeite, negrito ou sombreado* – Indica uma dificuldade sexual, desejos inconfessáveis.

4) *Sendo desenhado por mulher* – Indica mecanismo de compensação (maior pescoço) ou problema sexual, ou imaturidade. O excesso de detalhes, desenhado por homem, indica anormalidade, ambivalência sexual, exibicionismo, etc.

Na mulher, é mais normal, é aceitável.

XXVI. Cinto e calças

1) *Cinto apertado, no homem* – Estabilidade, força.

2) *Calças, no homem* – Transparência – Aspecto de deficiência mental ou nascisismo, exibicionismo, conflito sexual.

3) *Calças com braguilha e riscadas com muitos traços* – Revela um problema sexual. Pânico sexual, por prática de masturbação. Sinais de insegurança.

4) *Calça quadriculada, com transparência nas pernas, em negrito, ou sombreado* – Caso acima e ainda mais: violentação, temor de castração.

5) *Desenho de figura feminina, com trajes masculinos, feito por menino ou rapaz* – Será um caso de ambivalência.

6) *Figura de calção* – Mecanismo de compensação (praia, etc.), debilidade física ou sexual.

XXVII. Elementos acessórios

1) *Meias e luvas* – Símbolo com resposta de cobertura sexual. Sentimento de culpa. Menos-valia, dissimulação, fantasia de realização sexual ou prática sexual.

2) *Salto de sapato marcado, alto e em negrito* – Indica problema sexual. Problema de masturbação, narcisismo com ambivalência sexual.

3) *Chapéu* – Proteção – correlação com a casa – *Em negrito* – Dificuldade de aprendizagem.

4) *Joias e pinturas* (joias desenhadas por elemento masculino) – Problema do próprio desenhista. Situação de fato. Desejo de afirmação social, afirmação econômica e sexual.

Atrair pelos atavios. Pode ser mutilação.

5) *Guarda-chuva* – Aspecto sexual (forma cilíndrica) – Ambissexual: fechado – masculino; aberto – feminino.

6) *Cachimbo, rolos, ou diplomas, armas na mão, bengala* – Simbolismo sexual.

7) *Cigarro ou cachimbo na boca* – Ênfase erótico-oral.

8) *Pastas, bolsas muito retocadas* – Pode ser um simbolismo sexual. Receptiva – feminina; côncova – masculino.

XXVIII. Nus

1) *Nus* – Em rapazes, expressão de uma forte masculinidade.

2) *Nus, mostrando pouca diferença entre as características próprias do macho e da fêmea* – Indivíduos sexualmente débeis. Confusão ou não identificação de seu papel sexual, repressão da libido.

3) *Desenho sem roupa* – Corpo feito em serpente, cabeça de palhaço – Problema sexual.

H. CAUSAS ENCONTRADAS POR EMANUEL F. HAMMER

Quando aparece, primeiro, o desenho de figura de sexo diferente do propósito, Hammer oferece as seguintes explicações:

Inversão sexual; Confusão de identificação sexual; Forte afeto ou dependência para com o genitor do sexo oposto; Forte afeto ou dependência para com outro indivíduo do sexo oposto; Regressão ou estágio narcisístico, onde se é "um só com a mãe".

Ocasionalmente, os propósitos podem verbalizar sua indecisão sobre o sexo, fazendo perguntas, como:

"Que sexo devo desenhar primeiro"? Face a essa pergunta, ou semelhantes, o examinador deve considerar a possibilidade de que o sujeito, que faz essas perguntas, pode estar expressando uma confusão em relação ao papel de seu próprio sexo.

I. ALGUNS COMENTÁRIOS DE ADA ABRAHAM, SOBRE AS TÉCNICAS DE INTERPRETAÇÃO DO DESENHO DA FIGURA HUMANA DE MACHOVER E BUCK

Tanto Buck quanto Machover insistem, igualmente, sobre o fato de que cada item do desenho não pode ser avaliado, senão em conexão com todos os outros dados do desenho.

Abraham refere-se, apenas, a uma diferença nos dois métodos de interpretação. Assim, Machover emprega, separadamente, para cada aspecto do desenho da pessoa, as diversas interpretações que lhe sugerem uma certa hipótese geral e que ilustram uma rica experiência pessoal. Buck avalia, de preferência, cada item em função de sua relação com os outros. Por exemplo, um mínimo de detalhes em um desenho, bem-concebido, em suas proporções e em suas relações espaciais, pode indicar:

1) Uma tendência a concentrar-se sobre si mesmo.

2) Um anormal desprezo pelas convenções.

Entretanto, um mínimo de detalhes, acompanhado por insuficiente representação das relações espaciais e das proporções, pode indicar em relação ao sujeito examinado:

1) Deficiência mental;

2) Marcada redução da eficiência intelectual, que pode ser, ou não, irreversível. Além destes dois contextos principais destacados, cada interpretação depende de suas ligações a outras diferentes combinações, que sozinhas podem torná-la válida.

Tal como ocorre no Rorschach, determinado item pode fazer aparecer diferentes valores, em razão mesmo de suas ligações quantitativas e qualitativas com outros aspectos do teste. E ainda, mais do que no Rorschach, o mesmo item gráfico não constitui um item invariável, de um indivíduo a outro; seu sentido e sua importância não são conhecidos senão à luz do papel que desempenham na configuração total e, no caso especial, em estudo.

J. O DESENHO DA FAMÍLIA

Segundo C.W. Hulse:

I. Objetivos

Conhecer a situação do propósito dentro do seu meio familiar. O que vê nesse meio.

II. Dados a se registrar, na aplicação do teste

1) *Observar a verbalização.*

2) *Constatar a identificação com a figura desenhada* – Primeiro perguntar o grau de parentesco e idade de cada figura desenhada, depois da prova feita.

Ordem das Figuras Desenhadas

III. Normas para interpretação do desenho da família

1) *Análise de cada figura* – A primeira pessoa desenhada para a figura de maior valência, positiva ou negativa. Verificar traços, negrito, transparência, riscados, localização, proporção, etc., da pessoa desenhada. Verificar a segunda, a terceira pessoas desenhadas e, assim, sucessivamente. De acordo com a colocação das figuras, descobre-se a valência dessas pessoas, para o propósito.

2) *Omissão do propósito* – Não sente que participa, realmente, na família. Não recebe a afetividade que necessita. Rejeita, ou se sente rejeitado (ou desejo de se afastar). O desejo de se

afastar, por estar ligado, ou se referir à pessoa que vem em último lugar, poderá ser a mãe ou outra pessoa. Pode ser um mecanismo de compensação. O propósito procurar atrair a figura e, não conseguindo, coloca-a no fim.

IV. Normas para interpretação dos traços do desenho da família

1) *Figura em negrito* – Conflito com os familiares.

2) *Figura riscada* – Problema em relação a essa figura.

3) *Família num quadrado* – Desejo de libertar-se da família. Não se ajusta à família.

4) *Figura desenhada,* sendo que o propósito começa o desenho pela figura do pai, depois inverte e resolve fazer a mãe, ou vice-versa. Pode ser uma figura fálica. Predominância da mãe ou do pai.

5) *Figura desenhada, tapando a outra figura* – Desejo de ocultar essa figura, na afetividade do grupo. Ciúme.

6) *Figura dentro de um conjunto circular* (circunscrever uma figura) – Pode ser uma pessoa que deseja eliminar, inconscientemente, ou pessoa que represente grande validade para o propósito. Problema somático (alguém na família doente).

7) *Representação do propósito em primeiro lugar* – Egocentrismo. Mecanismo de compensação. Em último lugar, cerceamento.

8) *Representação da família* (só o desenho das cabeças) – Em pessoas inteligentes, autocrítica. Problema de restrição corporal. Às vezes, dá-se o caso de o propósito desenhar uma vizinha, ou uma pessoa estranha. Se a figura é bem-aceita, verifica-se pela localização, tamanho, etc. Se a figura vier com retoque, negrito, etc., indica conflito.

9) *Desenhar pessoas mortas na família* – Poderá ser uma fixação, sob vários aspectos.

10) *Desenhar e riscar* – Poderá ser um desejo de afastar a pessoa, ou de morte.

11) *Representação simbólica* (deve ser interpretada junto com o propósito). Pode levar-nos a uma situação de fato.

12) *Família separada em grupos* – Significa divisão na família. Poderá ser feita a divisão em classes, partindo do maior para o menor.

13) *Família de mãos dadas, pai e mãe puxando* – Ideia de como o propósito se vê, dentro do grupo. Cerceamento. Se em negrito, o problema é grave.

14) *Ombro direito mais largo* – Problema somático. Extrorversão. Vontade comunicação maior com o mundo. Situação de fato.

15) *Cabeça maior na mãe* – Abribui maior autoridade social à mãe.

K. SIGNIFICAÇÃO DAS CORES

I. Quanto à variação

1) *Branco* – Oposição.

2) *Negro* – Sentimento de morte, ódio, negativismo absoluto, se usado sozinho, tristeza, medo.

3) *Preto e branco* – Ansiedade, depressão, grandes temores.

4) *Cinza* – Disforia, tristeza, insatisfação.

5) *Azul* – Depressão, calma, tristeza, desejo de afirmação e inibição.

6) *Azul-frio* – Controle, pessoa policiada.

7) *Azul-celeste* – misticismo.

8) *Azul e amarelo combinados* – Dificuldade, gerando conflito e desejo de afirmação.

9) *Vermelho* – Agressão, destruição, ódio, sensibilidade sexual, força e vigor. É a cor mais emocional. O interesse pelo vermelho decresce, à medida que a criança supera a fase impulsiva e ingressa na fase da razão e de maior controle emocional.

Pode-se assinalar os dois tripos seguintes de simbolismo:

Simbolismo negativo – Roubo, guerra, destruição.

Simbolismo universal – Cólera, paixão, sangue, temor sexual.

10) *Vermelho e amarelo combinados* – Agressão e hostilidade.

11) *Vermelho e preto* – Autoagressividade, tendência a suicídio.

12) *Verde* – Criação, reprodução, indivíduo emocionalmente fraco, imediatista, distúrbios digestivos e intestinais, inibição.

13) *Amarelo-sol* – Força, energia, violência, estabilidade, euforia.

14) *Alaranjado* – Desejo de contacto, repressão da agressividade, desejo de simpatia forçada, mais fantasia que ação.

15) *Púrpura* – Ansiedade.

16) *Roxo* – Paixão, depressão (símbolo intermediário), paz e realização.

17) *Marrom* (preferência) – problema de sujeira, sentimento de culpa ligado à masturbação, presa à fase anal. Pode ser algo utilizado por imposição do grupo. Sexo e culpabilidade.

18) *Marrom, violeta e azul* – Grande depressão.

II. Quanto à intensidade e frequência no uso das cores

1) *Vermelho* – Temor de castração.

2) *Amarelo* – Bom tônus vital, alegria.

3) *Recusa total da cor* – Neuróticos graves e psicóticos retraídos.

III. Simbolismo quanto à disposição das cores

1) *Cores separadas* – Expansão, porém com emoções controladas ou dirigidas, desejo de ordem, equilíbrio.

2) *Cores entrelaçadas, mescladas* – Menos controle emocional.

3) *Cores superpostas* – Regressão, conflito emocional agudo, conflito da relação "Eu-Mundo".

4) *Cores desordenadas, justapostas de modo confuso, com negligência* – Confusão mental, descontrole, caráter desenfreado, sem noção de limite de comportamento, desorganização psíquica.

5) *Cores muito separadas na área disponível* – Compulsividade, desejo de perfeição, disciplina rígida.

6) *Cores cuidadosamente dispostas, ocupando a área disponível* – Circunspecção, atividade disciplinada e limitada.

Bibliografia

ABRAHAM, Ada. *Le dessin d'une personne.* Suíça: Editions Delachaux Ba Niestlé, 1963.

BIEDMA, Carlos J. & D'Alfonso, Pedro G. *A linguagem do desenho (Teste de Wartegg – Biedma).* São Paulo: Mestre Jou, 1966.

BIELIAUKAS, V. J. *Scorer's reliability in the quantitative scoring of the H.T.P. technique.* J. Clin. Psych, 1956.

GOODENOUGH, Florence L. *Measurement of intelligence by drawings.* Nova York: World Book Co./Yonkers-on Hudson, 1926.

HAMMER, Emanuel F. *The clinical application of projective drawings.* Charles C. Thomas – Publisher. Springfield, Illinois, U.S.A., 1958.

KOCH, Karl. Teste da Árvore. São Paulo: Mestre Jou, 1965.

KOLCK, Odette Lourenção Van. *Sobre a técnica do desenho da figura humana na exploração da personalidade* (Estudo de adolescentes de centros urbanos). Boletim, n. 293, Psicologia Educacional n. 7. Faculdade de Filosofia, Ciências e Letras da Universidade de São Paulo, 1966.

MACHOVER, Karen. *Projección de la personalidad en el dibujo de la figura humana.* Havana: Cultural, 1949 [Trad. J.M. Gutiérrez].

ROUMA, Georges. *El lenguage gráfico del niño.* Buenos Aires: El Ateneu, 1947.

SZEKELY, Bela. *Los tests.* 4. ed. Buenos Aires: Editorial Kapelusz, 1960.

Conecte-se conosco:

facebook.com/editoravozes

@editoravozes

@editora_vozes

youtube.com/editoravozes

+55 24 2233-9033

www.vozes.com.br

Conheça nossas lojas:

www.livrariavozes.com.br

Belo Horizonte – Brasília – Campinas – Cuiabá – Curitiba
Fortaleza – Juiz de Fora – Petrópolis – Recife – São Paulo

Vozes de Bolso

EDITORA VOZES LTDA.
Rua Frei Luís, 100 – Centro – Cep 25689-900 – Petrópolis, RJ
Tel.: (24) 2233-9000 – E-mail: vendas@vozes.com.br